中華國學經典百部

精華本

# 尚书

［先秦］佚名 著
胡乃波 译

中国书店

图书在版编目（CIP）数据

尚书 /（先秦）佚名著；胡乃波译 . —北京：中国书店，2023.10

（中华国学经典百部：精华本）

ISBN 978-7-5149-2963-8

Ⅰ . ①尚… Ⅱ . ①佚… ②胡… Ⅲ . ①中国历史－商周时代②《尚书》－译文 Ⅳ . ① K221.04

中国版本图书馆 CIP 数据核字（2022）第 075460 号

尚书

〔先秦〕佚名 著　胡乃波 译

责任编辑：赵小波

---

出版发行：中国书店

地　　址：北京市西城区琉璃厂东街 115 号

邮　　编：100050

电　　话：（010）63171753（总编室）

（010）63017857（发行部）

印　　刷：三河市嘉科万达彩色印刷有限公司

开　　本：787mm × 1092mm　1/32

版　　次：2023 年 10 月第 1 版第 1 次印刷

字　　数：120 千

印　　张：6（全 300）

书　　号：ISBN 978-7-5149-2963-8

定　　价：1490.00 元（全 50 册）

# 前言

在中国浩瀚如烟的历史典籍中，《尚书》是我国第一部上古历史文献，其中保存了大量极为珍贵的先秦思想、政治、文化等方面的历史资料，战国时总称为《书》，直到西汉时期才称《尚书》。其中，“尚”即“上”，为“上古”之意；“书”即简册，所以“尚书”就是“上古之书”的意思。

《尚书》一直被视为中国封建社会的政治哲学经典，既是帝王的教科书，又是贵族子弟及士大夫所遵循的“大经大法”，在历史上具有较为深远的影响。

关于尚书的中心内容，在《尧典正义》中，孔颖达根据篇目，将《尚书》分为典、谟、贡、歌、誓、诰、训、命、征、范等文体。而伪孔安国在《尚书序》中说：“典、谟、训、诰、誓、命之文凡百篇。”将《尚书》分为典、谟、诰、训、誓、命六种较为简明的文体。孔颖达之分法虽然面面俱到，但并不十分准确。《尚书》的内容大都是历代君主的言论或活动的记录，但一些典章制度、法律之类也假托君主之手夹杂在其中。因此，本书中，我们依然按照六种文体划分为典、谟、诰、训、誓、命。

第一种文体：典。典，主要记载了君主的言行与事迹，如《尧典》主要记录的是尧帝的言论。

第二种文体：谟。谟，主要记载君臣之间的谈话、谋议等内容，如《皋陶谟》等。

第三种文体：训。训，是臣下对君主的劝诫之辞，意在总结历史教训，劝告当今的君主要以史为鉴，切勿重蹈覆辙。

第四种文体：诰。诰，是君主对臣下的诰谕，多为商周最高统治者对臣民、封王、大臣的劝告之词。这是《尚书》的主要内容。

第五种文体：誓。誓，是君主在征伐交战之前率队誓师之辞，如《甘誓》《汤誓》等。

第六种文体：命。命，是君主任命官员或赏赐诸侯时的册命之辞，如《文侯之命》。

虽然以上六种文体并未囊括《尚书》的全部内容，但已包含绝大多数篇目。

当然，由于篇幅和内容的局限，本次译注仅选取了《尚书》的部分篇目，每篇又节选了部分内容。每一篇都包括原文、注释、译文、解读四部分。原文以《十三经注疏》本为主，并且参考了其他一些版本。注释部分力求简洁明了，不做深层次的解读，旨在帮助读者阅读与理解。

《尚书》历来难懂，对于《尚书》注解的问题也存在诸多争议。由于译注者才疏学浅，难免会存在缺漏之处，还请读者朋友多多指教。

# 目录

## 虞夏书



## 商书

## 周书

# 虞夏书

## 尧典

【原文】

曰若稽古[1]，帝尧曰放勋。钦[2]明文思安安，允恭克让[3]，光被四表[4]，格于上下[5]。克明俊德[6]，以亲九族[7]。九族既睦，平章百姓[8]。百姓昭明，协和万邦，黎民于变时雍[9]。

【注释】

①曰若：用作追述往事开头的发语词，没有实际意义。稽：考察。古：这里指古时传说。

②钦：恭谨。

③允：诚实。恭：恭谨。克：能够。让：让贤。《国语·晋语》："让，推贤也。"

④光：光耀，光明。被：覆盖。四表：四方极远的地方。

⑤格：到达。上下：这里指天地。

⑥俊德：指才德兼备的人。

⑦九族：指同族的人。

⑧平：当为"釆"（biàn，非"采"），因字形相近，易误。釆，这里是辨别的意思。章：这里作动词，意为使明显。百姓：百官族姓。

⑨黎民：民众，百姓。于变：随着尧的教化而改变。时：这里用作"是"。雍：和睦，祥和。

【译文】

查考古时传说，帝尧的名字叫作放勋。他严肃恭谨地处事，明察是非，态度谦和，诚实尽职，可以推贤任能，善于治理天下，因此他的光辉照耀四方，以至于天地上下。他能够举用同族中德才兼备的人，让族人变得亲密和团结起来。族人和睦团结了，就可以对百官中有善行的人进行考察，并作为典范树立起来，以资鼓励。百官中的失误处理妥善了，又能够让各个邦族团结一致，亲如一家，如此一来，天下的臣民在尧帝的教育之下，自然可以和睦相处了。

【解读】

上下和睦，百姓安居，是儒家设想的理想社会，这一段的主旨是歌颂尧帝的功德，强调“和睦”的重要性。我们经常说：“家和万事兴。”讲的就是人与人之间友爱团结，家庭安乐和睦，才可以万事兴盛。以家见国，以小见大，道理是相通的。试想，如果家族和睦，国家上下一致和睦，团结一心，那么社会一定会呈现出一片太平景象。家和先需人和，这就要求人人修养道德，友好相处，谦让有礼，自觉遵守道德准则，以仁德感化对方，如此自然可以和睦。

【原文】

乃命羲和[①]，钦若昊天[②]，历象[③]日月星辰，敬授人时[④]。分命羲仲，宅嵎夷[⑤]，曰旸谷[⑥]。寅宾[⑦]出日，平秩东作[⑧]。日中[⑨]，星鸟[⑩]，以殷仲[⑪]春。厥民析[⑫]，鸟兽孳尾[⑬]。申命羲叔，宅南交[⑭]。平秩南讹[⑮]，敬致[⑯]。日永[⑰]，星火[⑱]，以正仲夏。厥民因[⑲]，鸟兽希革[⑳]。分命和仲，宅西，曰昧谷。寅饯纳日[㉑]，平秩西成[㉒]。宵中[㉓]，星虚[㉔]，以殷仲秋。厥民夷[㉕]，鸟兽毛毨[㉖]。申命和叔，宅朔方，曰幽都[㉗]。平在朔易[㉘]。日短[㉙]，星昴[㉚]，以正仲冬。厥民隩[㉛]，鸟兽氄[㉜]毛。帝曰：“咨！汝羲暨和。期三百有[㉝]六旬有六日，以闰月定四时[㉞]，成岁。允厘百工[㉟]，庶绩咸熙[㊱]。”

【注释】

①羲和：羲氏与和氏是同族两氏，郑玄以为是重黎氏的后代。相传，重黎氏是掌管天地四时之官。至尧时，重黎氏后代羲、和的首领一直在担任这类官职。

②钦：恭敬。若：顺从。昊天：意为上天。

③历：推算岁时。象：这里用作动词，指观测天象。

④敬授人时：意为制定历法。人时：原为“民时”。

⑤宅：居住。嵎（yú）夷：地名，东方的地方。

⑥旸（yáng）谷：传说中日出的地方。

⑦寅：恭敬。宾：迎接。

⑧平秩：平，与“平章百姓”中的“平”是同义，均为辨别之意。下文“平秩南讹”“平秩西成”“平在塑易”中的“平”字意义均同上。秩：次第。作：兴起，开始。

⑨日中：指春分。春分这天昼夜时间相等，因此叫日中。

⑩星鸟：星宿名，指南方朱雀七宿。古人分二十八宿为四象，每一象均含七宿，星鸟是南方朱雀七宿的总称，朱雀为鸟名，故称为星鸟。

⑪殷：确定。仲：每个季度三个月中的第二个月。一年有四季，每季三个月，第二个月称为仲。

⑫厥：其。析：分散开来。

⑬孳（zī）尾：生育繁殖。《列子·黄帝》：“孳尾成群。”其中，孳为“生”。

⑭南交：这里指极南之地。

⑮平秩南讹：指太阳从北回归线向南移动。讹：运转，运行。

⑯致：到来。

⑰日永：指夏至。夏至这天白天最长，因此叫日永。

⑱星火：指火星，是二十八星宿中的心星。夏至这天黄昏，心星出现在南方就是仲夏。

⑲因：指在高地居住。

⑳希革：指鸟兽皮毛稀疏。其中“希”为稀疏之意。

㉑饯：送行。纳日：落日。

㉒西成：太阳在西边落下的时刻。其中，“西”指太阳向西方运转，“成”指秋天收获之事。

㉓宵中：指秋分。秋分这天昼夜时间相等，因此叫宵中。

㉔星虚：星名，指虚星，为北方玄武七宿之一。

㉕夷：平，这里指回到平地居住。夏天人们在高地居住，秋天人们又回到平地居住，从事秋天的劳作。

㉖毛毨（xiǎn）：白而细的羽毛。

㉗朔方：极北之地。幽都：幽州，亦指北方之地，具体地点还有待查证。

㉘在：观察。易：变化，这里指运行。

㉙日短：指冬至。冬至这天白天最短，所以叫日短。

㉚星昴（mǎo）：星名，指昴星，为西方白虎七宿之一。

㉛隩（yù）：指冬天到室内居住，御寒取暖。

㉜氄（rǒng）：鸟兽细软的毛。

㉝期（jī）：指一周年。有：通“又”。

㉞以闰月定四时：古代一年十二个月，大月三十天，小月二十九天，共计三百五十四天，比一年的实际天数少十一又四分之一天。三年累计超过了一个月，所以安排闰月来补足，使四时不错乱。

㉟允：信。厘：治，规定。百工：百官。

㊱庶：众，多。熙：兴起，兴盛。

## 【译文】

尧先命令羲氏与和氏，恭谨地遵循上天的意旨行事，并且根据日月星辰的运行规律制定历法，从而告诉人们依照时令节气从事生产活动。又命令羲仲，住在东方的旸谷，恭敬地迎接日出，并且通过观察来辨别不同时期日出的特点。以昼夜平分的那天作为春分，并以星鸟见于南方正中之时作为划分仲春的根据。此时，人们正在田间劳作，鸟兽也大肆繁殖起来。又命令羲叔，住在南方的极远之地，在这里观察太阳向南运动的规律，从而决定夏天应该从事的工作，并恭敬地等待着太阳的到来。以白昼时间最长的那天为夏至，并以这天火星见于南方正中之时，作为划分仲夏的根据。此时的人们居住在高的地方，鸟兽的羽毛也都变得稀疏了。又命令和仲，住在西方名叫昧谷的地方，恭敬地送行太阳，观察日落的特点，以此规定秋季收获时的工作。以秋分这天昼夜交替的时候和虚星见于南方正中的时候，作为划分秋分的根据。此时，人们离开高地迁至平原地区，以收获庄稼，此时，鸟兽毛盛，可以选用。又命令和叔，居住在北方叫作幽都的地方，以观察太阳从南向北运行的情况。以白昼最短的那天作为冬至，并以昴星见于南方正中的时候，作为仲冬的根据。此时，人们都居住在室内以取暖，鸟兽们为了抵御寒冷，毛质也变得丰富而细密。尧说："唉！羲与和啊！三百六十六日为一周年，你们需要用置闰月的方法确定一年的春夏秋冬四季，进而构成一岁。用此历法来规定百官的职位，如此各种事情就可以开始顺利进行了。"

【解读】

在此段中，主要记载的是尧帝命人制定历法的情况。由此可知，中国远在部落时代就已经有了划分春夏秋冬四时和周年的历法，通过对天体运行的变化和地上物候变化的仔细观察，来确定时令。这件事对于人类文明进步有着巨大意义，标志着人们有了深刻的时间迁移感与空间方位感。

时空意识的产生，导致了对时间流动的划分、确认和记录，以及对方位变化的辨认，时间与空间的确立有利于人们从事农业生产、迁徙定居等活动，也有助于人们的生活，例如，春种秋收，夏避洪水酷热，冬避严寒冰雪。

从尧帝制定历法的情况不难看出，对自然现象的仔细观察和对自然变化规律的准确把握，是第一位的。这个立足点所带来的必然是对自然的重视、崇敬和顺从，将人纳入自然之中，让人们的生活、生产与自然法则相吻合，从而做到与自然和谐共处。

【原文】

帝曰："咨！四岳。朕在位七十载，汝能庸命①巽②朕位？"岳曰："否德忝③帝位。"曰："明明扬侧陋④。"师锡⑤帝曰："有鳏⑥在下，曰虞舜。"帝曰："俞⑦！予闻，如何？"岳曰："瞽⑧子，父顽，母嚚，象傲。克谐，以孝烝烝⑨，乂不格奸⑩。"帝曰："我其试哉！"女于时⑪，观厥刑于二女⑫。厘降二女于妫汭⑬，嫔⑭于虞。帝曰："钦哉！"

【注释】

①庸命：顺应天命。其中，"庸"意为用。郑玄注："顺势用天命。"

②巽：用作"践"，意思是履行，这里指接替帝位。

③否（pǐ）：鄙陋。忝（tiǎn）：谦词，为辱、不配的意思。

④明明：第一个"明"是动词，意为尊显；第二个"明"是名词，指高明之人，贤明之人。扬：选拔，举荐。侧陋：隐伏卑微的人。

⑤师：众人，大家。锡：赐，这里指提出意见。

⑥鳏（guān）：老而无妻或死了妻子。

⑦俞：副词，意为是的、就这样，表示肯定。

⑧瞽（gǔ）：盲人。据传，舜的父亲乐官瞽瞍是一个盲人。

⑨烝烝：形容孝德美厚。

⑩乂（yì）：治理，这里指处理家务。格：至，达到。奸：邪恶。

⑪女：把女儿嫁给他人。时：通"是"，指示代词，这里指舜。

⑫刑：法度，法则。二女：指尧的女儿娥皇和女英。

⑬厘：命令。妫（guī）：水名。汭（ruì）：河流弯曲的地方。

⑭嫔：嫁给别人做妻子。

【译文】

尧说："唉！四方诸侯啊，我在这个位置上已经七十年了，你们当中谁可以顺应天命接替我的位置啊？"四方诸侯之长回答说："我们没有德行，不配登上天子大位。"尧说："应该考察贵戚中的贤人，或是隐藏在民间的贤人，他们虽然地位卑贱，却很贤能，还是让贤德之人登上大位吧。"大家告诉尧说："在民间有一个处于困难境地之中的人，名字叫作虞舜。"尧说："是啊，我也曾听说过此人，但是他的德行如何呢？"四方诸侯之长回答说："他是乐官瞽瞍的儿子。他的父亲心术不正，他的母亲善于说谎，他的弟弟十分傲慢，对虞舜非常不好。而舜和他们却能够和睦相处，以自己的孝行美德感化他们，家务处理得十分妥善，家人受到感化，也都弃恶从善，使自己的行为不致流于奸邪。"尧说："好吧，那就让我考验考验他吧！"于是尧决定将自己的两个女儿嫁给舜，通过两个女儿考察他的德行。尧命令在妫河的弯曲处举行婚礼，让两个女儿做了虞舜的妻子。尧说："今后你就恭敬地处理政务吧！"

【解读】

对于帝王而言，挑选接班人是一件关乎国家生死存亡的重要事件。尧帝在位期间虽然功德满天下，但是功绩再伟大的君主也有退位的那一天。这一段讲的就是尧帝精心挑选接班人的故事。

值得注意的是，在尧的时代还没有世袭制，因此可以将权力转交给他的家族之外的人。这种移交权力的做法，在古代叫作"禅让"。而且，将权力交给谁，可以由各方氏族首领参与讨论，提出建议，推荐人选。尧帝与氏族首领们讨论接班人问题时，虞舜的德行得到了众人的一致肯定。虽然其“父顽，母嚚，象傲”，他却可以做到“克谐，以孝烝烝，乂不格奸”，这就足以说明虞舜的德行之高尚。

## 舜典

【原文】

慎徽五典①，五典克从②。纳于百揆③，百揆时叙④。宾⑤于四门，四门穆穆⑥。纳于大麓⑦，烈风雷雨弗迷。帝曰：“格⑧！汝舜。询事考⑨言，乃言底⑩可绩，三载。汝陟⑪帝位。”舜让于德，弗嗣。

【注释】

①徽：美善。五典：此处为五常之法，即为父义、母慈、兄友、弟恭、子孝。

②克：能够。从：顺从。

③纳：赐予职位。百揆：掌管一切事务的官。

④时叙：承顺，意思是服从领导。

⑤宾：迎接宾客。

⑥穆穆：形容仪容齐整。

⑦麓：山脚。

⑧格：到来，来。

⑨询：谋划。考：考察。

⑩乃：你。底（zhǐ）：致，求得。

⑪陟：升，登。

【译文】

舜诚心诚意地推行德教，教导臣民以父义、母慈、兄友、弟恭、子孝五种美德指导自身的行为，臣民都可以听从这种教导而不违背。后来，尧帝又让虞舜总理百官，百官都服从命令，使百事振兴而不荒废。后又让虞舜在明堂的四门，接待四方朝见的诸侯，使诸侯都能和睦相处。最后，虞舜进入山麓的森林中，即使遇到风雨经受烈风雷雨的考验也不曾迷失方向。尧帝对他说："来吧！舜啊，你行事周到，提出的意见也很好。经过三年考验，你的确取得不少成绩，你现在可以登上天子的大位了。"舜认为自己的德行尚差，推让不愿即位。

【解读】

尧帝对虞舜继位心存疑虑，决定考验他。在这场考验中，虞舜做到了"慎徽五典，五典克从。纳于百揆，百揆时叙。宾于四门，四门穆穆。纳于大麓，烈风雷雨弗迷"。经过三年的考验，虞舜得到了尧帝的认可。

【原文】

正月上日①，受终于文祖②。在璇玑玉衡③，以齐七政④。肆类⑤于上帝，禋于六宗⑥，望⑦于山川，遍于群神。辑五瑞⑧，既月乃日⑨，觐四岳群牧⑩，班瑞于群后⑪。

岁二月，东巡守，至于岱宗⑫，柴⑬，望秩⑭于山川。肆觐东后⑮，协时月正日⑯，同律度量衡⑰。修五礼、五玉、三帛、二生、一死⑱贽。如五器⑲，卒乃复⑳。

五月南巡守，至于南岳，如岱礼。八月西巡守，至于西岳，如初。十有一月朔巡守，至于北岳，如西礼。归，格于艺祖㉑，用特㉒。

五载一巡守，群后四朝。敷㉓奏以言，明试以功，车服以庸㉔。

【注释】

①上日：上旬的吉日。

②受终于文祖：《史记·五帝本纪》载："尧……二十年而老，命舜摄行天子之政。"这里指禅位大典。文祖：尧太祖的宗庙。

③在：意为观察。璇玑玉衡：古人对于璇玑玉衡的说法不一，主要有以下两种意见：其一指星名，指北斗七星；其二指浑天仪一类的天文仪器。对于第二种说法，有人提出疑义，因为浑天仪是东汉张衡制造，尧舜时代还没有出现，因此，我们持第一种说法。

④齐：排比整理。七政：指日、月和金、木、水、火、土五星。也有人说其指四季、天、地、人七政。在此，译文采取的是前一种说法。

⑤肆：于是。类：一种祭祀礼节，这里指向上天报告继承帝位。

⑥禋（yīn）：祭祀。六宗：指天、地和春、夏、秋、冬四时。

⑦望：祭祀山川的仪式。下同。

⑧辑：收集，聚敛。五瑞：即五玉，是五种等级的玉器，诸侯用来作为信符。

⑨既月乃日：挑选吉利的月份、日子。

⑩觐：朝见天子称觐。牧：官员。

⑪班：作"颁"，分发、颁发的意思。后：指诸侯国君。

⑫岱宗：东岳泰山。

⑬柴：祭天的礼仪。

⑭秩：次序，依次。

⑮东后：东方诸侯的国君。

⑯协：合。时月正日：指根据四时运行规律确定月数和日数。时，春夏秋冬四时。正，确定。

⑰同：统一。律：音律。度：丈尺。量：斗斛。衡：斤两。

⑱五礼：指公、侯、伯、子、男五等礼节。五玉：即前面说的"五瑞"。三帛：三种不同颜色的丝织品，用于垫玉。二生：活羊羔和活雁。一死：一只死野鸡。

⑲如：连词，而。五器：指五玉。

⑳卒：指礼仪完毕。乃：然后。复：归还。

㉑格：到，至。艺祖：即文祖，尧太祖的宗庙。

㉒特：一头牛。

㉓敷：普遍。

㉔庸：功劳。

【译文】

正月上旬的吉日，在尧的太庙举行了盛大的禅位典礼，舜接替尧行使天子大命。舜继位后，恭敬地考察了北斗七星运行的规律。接着，祭天大典举行，将继位的事情禀告上天，之后又精心诚意地祭祀天地四时，祭祀山川和群神。随后聚敛了诸侯的信圭，择定吉月吉日，召见四方诸侯，举行了盛大的典礼，将信圭颁发给他们。

这一年的二月，舜来到东方视察，在泰山举行了祭祀泰山之礼。对于其他的山川，也都根据其大小进行了不同的祭祀。接着召见了东方的诸侯，根据对天象的观察，使月日的纪时和自然规律的实际情况相符合，并且统一了律、度、量、衡，制定了公、侯、伯、子、男五等礼节和相应的五种信圭，规定在朝见天子时诸侯需要以红、黑、白三种颜色的丝织物作为其贡献，卿大夫则以活的羊羔和雁作为朝见时的贡献，士则以一只死雉作为朝见时的贡献。朝见之礼结束后，就将这三种颜色的丝织物及信圭退还给诸侯。

五月又到了南方巡查，在衡山举行了和祭祀泰山一样的祭祀礼。八月在西方巡行视察，在华山举行了和泰山一样的祭祀礼。十一月初一在北方巡行视察，在恒山举行了和华山一样的祭祀礼。回朝之后，到了尧的太庙，用一头牛进行祭祀。

之后每隔五年的时间，就要进行一次全面地视察。四方诸侯分别在四岳朝见天子，向天子报告自己的业绩；天子也认真地考察诸侯国的政治得失，把车马衣服赐予那些有功的诸侯。

【解读】

这一段主要描述的是舜帝登基的情况。尧帝顺利地移交了权力，虞舜登上帝位。古代皇权交接时，祭祀是必不可少的礼仪，其场面之大，气氛之隆重，皆可以想见。在本段，其隆重之景主要体现于“受终于文祖。在璇玑玉衡，以齐七政。肆类于上帝，禋于六宗，望于山川，遍于群神。辑五瑞，既月乃日，觐四岳群牧，班瑞于群后”。

新天子诞生之意义重大，自然要用盛大的礼仪来表示。因此，礼仪的规模就体现了意义的大小。

舜帝虽然出身微贱，即位之后却大有作为。他修订历法，统一乐律和度量衡，如“同律度量衡，修五礼、五玉、三帛、二生、一死贽”。他严明礼仪等级，赏赐功臣，如“明试以功，车服以庸”。这里面都蕴藏着王者的大德行与大智慧。

【原文】

肇十有二州①，封十有二山，浚②川。

象以典刑③，流宥④五刑，鞭作官刑，扑⑤作教刑，金作赎刑。眚灾肆⑥赦，怙终贼刑⑦。钦哉，钦哉，惟刑之恤⑧哉！

流共工于幽州⑨，放驩兜于崇山⑩，窜三苗于三危⑪，殛鲧于羽山⑫，四罪而天下咸服。

【注释】

①肇：用作“兆”，原意是龟壳灼炙之后所呈现出的裂纹，这里引申为划分地域之意。十有二州：舜时天下分为十二州。有，通“又”。

②浚：疏通。

③象以典刑：这句话有两种说法，一种作象刑，因古时没有肉刑，所以对犯人行以象刑，即在犯人的衣服上画上不同的图形以示惩罚；另一种说法是把五刑的形状刻画在器物上警示世人，犹如“铸鼎象物”那般。象，刻画。典刑，常用的墨、劓、剕、宫、大辟五种刑罚。

④流宥：罪轻者或流放以宽之。流，流放。宥，宽恕。

⑤扑：檟（jiǎ）楚，是古代学校用作体罚的一种工具。

⑥眚（shěng）：过失。肆：于是，遂。

⑦怙（hù）：依仗，仰仗。贼刑：指杀人之刑不可赦免。

⑧恤：慎重。

⑨幽州：地名，在北方边远地区。

⑩崇山：地名，在今湖北黄陂以南。

⑪三苗：古代国名，在今湖南、江西境内。三危：地名，在今甘肃敦煌一带。

⑫殛（jí）：流放。羽山：地名，在东方。

【译文】

舜划分天下为十二州，在十二座大山上封土为坛，作祭祀之用，又疏通河道。

又在器物上刻画出五刑的形状警示世人，用流放的形式代替五刑，以表示宽大。用鞭打之刑惩罚那些犯罪的庶人和官吏，用木条抽打那些不服从教化的学生，还可以出金赎罪。赦免过失犯罪的人，对于那些犯了罪却始终不知悔改的人，加重惩罚。小心啊！小心啊！在使用刑罚时，可要十分谨慎啊！

把共工流放到幽州，把驩兜放逐到崇山，把三苗赶到三危，把鲧流放到羽山，并命令他至死不得回朝；罪人都受到了应得的惩罚，天下的人便都心悦诚服了。

【解读】

舜帝上任之后，划定州界，制定刑罚，放逐尧的大臣共工、驩兜、鲧，以及三苗，于是天下人心归顺。接下来是任用百官，使国家机器运转起来。其具体做法是“肇十有二州，封十有二山”“象以典刑”“流宥五刑”“鞭作官刑”“扑作教刑”“金作赎刑”“眚灾肆赦”“怙终贼刑”等。

舜三十岁从尧那里接过帝位，统治天下五十年。舜帝上任时，种种举措的重心在于刑罚，表明他重视“依法治国”。这与封建时代帝王即位之后大兴土木、争权夺利形成了鲜明的对比。

在这里还需要注意的是，舜帝强调慎用刑罚，主要是以惩戒为目的，区别罪行，处罚适度。这是开明君主与暴君（如秦始皇）的主要区别。治国的关键在于治理人心。在赏罚分明的同时，还要注意适度，如此才可以让人心归顺。以忧国忧民著称的诗人杜甫曾说：“致君尧舜上，再使风俗淳。”这充分表明了他对于尧、舜时代的无限向往。

【原文】

帝曰：“夔①！命汝典乐②，教胄子③。直而温，宽而栗④，刚而无⑤虐，简而无傲。诗言志，歌永⑥言，声依永，律和声⑦。八音克谐，无相夺伦⑧，神人以和。”夔曰：“於⑨！予击石拊石⑩，百兽率舞。”

【注释】

①夔（kuí）：相传为尧舜时期的乐官。尧时作乐，百兽闻而起舞。舜时专职典乐，教育贵族子弟。

②乐：乐官。

③胄子：未成年的人。

④直而温，宽而栗：孙兴衍曰："梗直者加以温和，宽厚者加以明辨，性以相反者相成也。"

⑤无：不要。

⑥永：通"咏"，意思是吟唱。

⑦律和声：唱出的声音要合乎音律。律，意为标准音。声，指歌唱的声音。

⑧八音：泛指一切音乐演奏。谐：和谐。夺：失去。伦：次序，这里指和谐。

⑨於（wū）：是啊，好吧。

⑩击、拊：轻轻敲击。石：石磬（qìng），古代的一种乐器。

【译文】

舜说："夔啊！现在任命你为主持乐官，教导那些贵族子弟们。让他们正直温和，宽厚恭谨，刚强而不暴虐，简约而不傲慢。诗是用来表达思想情感的，歌就是用这样的情感咏唱出来的，歌唱的声音不但要有感情，还要符合音律。八类乐器的声音可以和谐演奏，不能够让次序混乱，如此，即便天地之人听到也会感到和谐、快乐。"

夔说："好啊！让我们敲着石磬，奏起乐来，让那些鸟兽都跳起来吧！"

【解读】

舜帝任命夔掌管乐官，希望夔可以通过音乐教导年轻人。舜帝说，诗是用来表达思想情感的，歌就是用这样的情感咏唱出来的，而这样的音乐即便让神明听到也会感动。舜帝对夔说的这一段关于音乐和诗歌作用的看法，在后来被儒家视为"诗教"的经典言论，也成为我们的民族传统。

实际上，诗歌和音乐是非常重要的教育手段，而不仅仅是人们消遣的工具。诗歌和音乐是人们内心情感的迸发，而迸发的最高标准，就是和谐、美好。和谐的歌曲与音乐用来陶冶人的高尚情操，培养人的高雅性情。

## 皋陶谟

【原文】

曰若稽古，皋陶[1]曰："允迪厥德[2]，谟明弼谐[3]。"禹曰："俞！如何？"皋陶曰："都[4]！慎厥身，修思永[5]。惇叙[6]九族，庶明励翼[7]，迩可远在兹。"禹拜昌言曰："俞！"

皋陶曰："都！在知人[8]，在安民。"禹曰："吁！咸若时[9]，惟帝其难之。知人则哲[10]，能官[11]人。安民则惠，黎民怀之。能哲而惠，何忧乎驩兜，何迁[12]乎有苗，何畏乎巧言令色孔壬[13]？"

【注释】

①皋陶（gāo yáo）：是舜帝的大臣，掌管刑法狱讼。

②允：诚信。迪：履行，遵循。厥：代词，其，指古代贤帝王，此处当指尧。德：指道德。

③谟：通"谋"，指治国方略。明：高明，英明。弼：辅佐，指大臣。谐：和谐，团结。

④都：叹词，啊。

⑤慎厥身：指努力提高自身的修养。慎，意为慎重、谨慎、小心。厥，其，指自身。修思永：提高自身修养要坚持不懈。修，治，指品德锻炼。永，意为长久。

⑥惇（dūn）：敦厚。叙：次第。

⑦庶：众人。励：努力。翼：辅佐。

⑧人：这里指官员。

⑨咸：全部，完全。时：通"是"，这样。

⑩哲：明智。

⑪官：管理，任用。

⑫迁：流放。

⑬巧言：花言巧语。令：善于。色：脸色。孔：十分，非常。壬：奸佞的人。

【译文】

相传，皋陶和禹曾在舜帝面前讨论国家政事。皋陶说："诚信地遵循尧帝的德行，君主就能做到决策英明，群臣也可以同心同德。"禹说："对啊！但是怎么做到呢？"皋陶说："啊，严格要求自身，坚持不懈地努力提升自身的修养。以宽厚的态度对待同族的人，广泛推举贤明之士，努力辅佐君主治理国家，由近及远，就从自身先做起。"禹起身拜谢这番高明的见解，说："对啊！"

皋陶说："最重要的还是知人善任，把臣民治理好。"禹说："哎呀！事实虽是这样，但是想要完全做到这些，只怕连先王都难以做到。知人善任才算得上是明智之人，有智慧才能用人得当。能够把臣民治理好，便是给他们以恩惠，这样臣民当然会把恩惠记在心里。既然聪明而有恩德，还怕什么驩兜，何必迁徙流放苗民，又何必害怕讲那些花言巧语、献媚取宠的坏人呢？"

【解读】

皋陶对于治理国家的人提出了三项要求，即修身、知人、安民。而这三项要求的前提是以德治国，而并非暴政。孟子曾说："苛政猛于虎。"意思是说残暴的统治犹如老虎一般。可见，暴政对于人民的迫害有多深。

皋陶的修身、知人、安民三项要求看似简单，做起来却难如登天。对此，禹提出意见是"知人则哲，能官人。安民则惠，黎民怀之。能哲而惠，何忧乎驩兜？何迁乎有苗？何畏乎巧言令色孔壬”。

对比封建时代的统治者，我们就会发现，他们当中很多人因为政务与权力斗争缠身，少有时间提升自身的素质，既然自身的修养都难以提升，又何来知人呢？而朝野内外的野心家、阴谋家、奉承献媚的人不在少数，这些人都戴着假面具，令人难以识破。

因此，作为统治者一定要拥有高尚的修养、过人的智慧，让天下之人尽享其恩德，如此便不会有奸佞之人存在了。

【原文】

皋陶曰："都！亦行有九德①。亦言其人有德，乃言曰，载采采②。"

禹曰："何？"皋陶曰："宽而栗③，柔而立④，愿而恭⑤，乱而敬⑥，扰而毅⑦，直而温⑧，简而廉⑨，刚而塞⑩，强而义⑪。彰厥有常⑫吉哉！

"日宣⑬三德，夙夜浚明有家⑭。日严祗⑮敬六德，亮采有邦⑯。翕受敷施⑰，九德咸事⑱，俊乂在官⑲。百僚师师⑳，百工惟时㉑。抚于五辰㉒，庶绩其凝㉓。"

【注释】

①亦：作"大"解，亦作"大凡"。行：德行。九德：九种品行。

②乃言曰，载采采：意为考察一个人的言论要列举出很多事例作为证明，不能没有事实作为依据，就评定一个人的好坏。乃，考察。载，为，这里的意思是以……为证明。采，事。"采采"就是很多事，这里指事实。

③宽而栗：宽宏大量的人遇事常犯毫不在乎的毛病，因而必须补之以栗。宽，宽宏大度。栗，严肃恭谨。

④柔而立：性情温和的人大都有不敢坚持意见的毛病，因而必须补之以立。柔，指性情温和。立，指有自己的主见。

⑤愿而恭：谨慎怕事的人常犯同流合污的毛病，因而必补之以恭。愿，小心谨慎。恭，庄重严肃。

⑥乱而敬：具有治理能力的人常常依仗自己的才能而办事疏忽，因而必补之以敬。乱，治，这里指有治国才干。敬，认真。

⑦扰而毅：善于听取别人意见的人常常失于优柔寡断，因而必补之以毅。扰，柔顺，指能听取他人意见。毅，果断。

⑧直而温：正直的人，常常态度生硬，因而必补之以温。直，正直，耿直。温，温和。

⑨简：直率而不拘小节。廉：方正。

⑩刚而塞：能从诸多方面考虑问题，性情刚正而不鲁莽。刚，刚正。塞，充实。

⑪强：坚毅。义：善，合乎道义。

⑫常：祥，常见的意思是吉祥。

⑬宣：表现。

⑭夙：早晨。浚明：恭敬，努力。家：这里指卿大夫的封地。

⑮严：严肃庄重。祗：恭敬。

⑯亮：辅佐。邦：诸侯的封地。

⑰翕（xī）：集中。敷施：普遍推行。

⑱九德咸事：意思是指凡行为合于九德者，都让他处理一定的事务。咸，全部。事，处理事务。

⑲俊乂：指特别有才德的人。俊，才能、品德超过千人者。乂，才能、品德超过百人者。在官：指俊乂之人可以担任公卿的官职。

⑳百僚：指众大夫。师师：互相学习和仿效。

㉑百工：百官。惟：想。时：善。

㉒抚：顺从。五辰：指金、木、水、火、土、五星。

㉓庶：众多。绩：功绩。凝：成就。

【译文】

皋陶说：“都！多数人的德行包括九种。如果说某个人有德行，就需要以事实作为证据。”

禹说：“什么叫作九德？”皋陶说：“不仅宽宏大量而且恭敬谨慎；不仅处事干练而且井然有序；不仅行为谦逊而且严肃认真；不仅行为耿直而且态度温和；不仅能从大处着眼而且能从小处着手；不仅刚正而且不鲁莽；不仅勇敢而且善良。能够在自己的行为中表现出这九种德行来，就能够将事情处理好了。

“每天都能在自己的行为中表现出九德中的三德，都能恭敬努力地按照这些道德规范行事，那就可以做卿大夫了。每天都可以庄重而恭敬地按照九德中的六德约束自己，那么就可以协助天子处理政务了。如果天子能够合三德六德而并用，并以此布施政教，只要是根据九德处理政事的人就都给予职务，有特殊才能的人都给予公卿的官位，大夫们都能互相学习，各方面具体事务的负责人也都能够将自己的分内之事处理好，大家都能够根据五辰的运行、四时的变化来处理政务，伟大的功业就建立起来了。”

【解读】

皋陶提出统治者需要具备九种德行，即“宽而栗”“柔而立”“愿而恭”“乱而敬”“扰而毅”“直而温”“简而廉”“刚而塞”“强而义”。也就是说，需要做到：宽宏大量而又严肃恭谨、性情温和而又有主见、态度谦虚而又庄重严肃、具有才干而又办事认真、善于听取别人意见而又刚毅果断、行为正直而又态度温和、直率旷达而又注重小节、刚正不阿而又脚踏实地、坚强勇敢而又符合道义。只要具备了这九种品德，就能够吉祥顺利了。

皋陶所提出的这九种德行，可以说是对于统治者的最高要求，是统治者所能达到的理想境界。如果九德难以企及的话，可以退而求其次，只要六德；再不行，还可以退一步，只具备三德，国、家、民就可以享受到其恩德了。

当然，想要具备九德不仅需要足够的修养，还要经过实践的考验。例如，性情温和的人通常没有主见，想要两者兼备，统治者就要尝试着处理一些棘手的事情。

【原文】

“无教逸欲①有邦，兢兢业业，一日二日万几②。无旷庶官③，天工④，人其代之。

“天叙有典⑤，敕我五典⑥五惇哉！天秩有礼⑦，自我五礼有庸⑧哉！同寅协恭和衷哉⑨！天命有德，五服五章⑩哉！天讨⑪有罪，五刑⑫五用哉！政事懋⑬哉！懋哉！

“天聪明⑭，自我民聪明。天明畏⑮，自我民明威。达于上下，敬哉有土⑯！”

皋陶曰：“朕言惠可厎⑰行？”禹曰：“俞！乃言厎⑱可绩。”皋陶曰：“予未有知，思曰赞赞襄⑲哉！”

【注释】

①无教：不要。逸欲：安逸贪欲。

②一日二日：意思是天天，每天。几：机，这里指事情。这句话的意思是指每天发生的事情之多。

③旷：空，这里指虚设。庶官：众官。

④天工：上天命令的事。

⑤叙：秩序，指君臣、父子、兄弟、夫妻、朋友之间的伦理、等级秩序。典：常法。

⑥敕（chì）：命令。五典：指君臣、父子、兄弟、夫妇、朋友间的伦理关系。

⑦秩：规定等级次序。礼：五种礼节。

⑧自：遵循。五礼：指天子、诸侯、卿大夫、士、庶民五种礼节。庸：

用，指推行五礼。

⑨同寅：指君臣之间互相尊敬。寅，恭敬。协恭和衷：同心同德，团结一致。

⑩五服：天子、诸侯、卿大夫、士、庶民五种等级的礼服。章：通“彰”，显示。

⑪讨：惩治。

⑫五刑：墨、劓、剕、宫、大辟五种刑罚。

⑬懋（mào）：勉励，努力。

⑭聪：听力好，这里指听取意见。明：视力好，这里指观察问题。

⑮明：表扬。畏：惩罚。

⑯有土：保有国土，这里指保护君主的地位。

⑰厎（zhǐ）：一定，必须。

⑱厎：求得。

⑲赞：辅佐。襄：治理。

【译文】

“治理四方的诸侯不使自己贪图安逸与私欲，要兢兢业业地处理政务，因为每天都有很多事情发生。不要任用不称职的官员，对此千万不能麻痹大意，因为所有的官职都是上天设立的，怎么可以让那些不称职的人代替上天行事呢？

“上天规定了人和人之间的伦常次序，训诫我们要遵守君臣、父子、兄弟、夫妇、朋友之间的伦常次序，让这种关系深厚起来啊！上天规定了天下人的尊卑等级之礼，因此，才有天子、诸侯、大夫、士、庶人这五种人的礼节实行。天子应大力推行这五种礼节，让臣民同心同德，团结一致。上天任命有德之人，制定了天子、诸侯、大夫、士、庶人五种服装制度，以分别表彰他们不同的德行！上天惩罚那些犯罪的人，制定了五种刑罚，分别用来惩罚五种罪人。为了搞好政务，君臣之间可要互相勉励啊！

“上天听取意见、观察问题，都是根据百姓的态度；上天表彰好人、惩罚坏人，也是依据百姓的态度。上天和下民之间是互相通达的，所以只有勤政爱民，才能保持住国土。”

皋陶说：“我的话一定是可以实行的吗？”禹说：“对啊！你的话是可以实行并获得功绩的。”皋陶说：“我并没有什么见识，只是每天考虑怎样协助君主治理好天下啊！”

【解读】

皋陶是一个谦逊的，心中无自我，只有上天、君主和百姓的人。他始终不忘记依照上天的指示履行自己的职责，辅佐君主。

文中第一段写出了上天的各种规定，并写出了人们都要遵守。第二段提出上天的规定是按照百姓的意愿进行的，并告知只有勤政爱民才能保住国土。第三段则是禹对皋陶建议的认可。

## 益稷

【原文】

帝曰：“来！禹，汝亦昌言。”禹拜曰：“都！帝，予何言？予思日孜孜。”皋陶曰：“吁！如何？”禹曰：“洪水滔天，浩浩怀山襄[①]陵，下民昏垫[②]。予乘四载[③]，随山刊[④]木，暨益奏庶鲜食[⑤]。予决九川距[⑥]四海，浚畎[⑦]浍距川。暨稷播[⑧]，奏庶艰食鲜食[⑨]。懋迁有无化居[⑩]。烝民乃粒[⑪]，万邦作乂[⑫]。”皋陶曰：“俞！师[⑬]汝昌言。”

【注释】

①怀：包围。襄：淹没。

②下民昏垫：郑玄曰：“昏，没也；垫，陷也。”故此句是讲下民被洪

水所淹没。昏垫，即沉陷。

③四载：四种交通工具，指车、船、橇、轿。

④刊：砍削，这里指砍削树木作路标。

⑤暨：通“及”，和。益：人名，即伯益。奏：进。鲜食：刚杀了的鸟兽，此处指新鲜的肉食品。

⑥决：疏通。九川：九州之川。距：到达。

⑦浚：疏通。畎（quǎn）：田间的水沟。

⑧稷：人名，后稷，传说他教人们播种庄稼。播：指播种庄稼。

⑨艰食：根生的粮食，指谷类。鲜食：肉食。

⑩懋迁：贸易。懋，用作“贸”。化居：迁移囤积的货物。

⑪烝：众多。粒：立，意思是成、定。

⑫万邦：此处代指诸侯。作：开始。乂：治理。

⑬师：用作“斯”，用作指示代词，意为这里。

【译文】

舜说：“来吧！禹，你也来讲讲你在治国方面的高见吧！”禹拜谢说：“唉！王啊，我说些什么呢？我只是每天考虑如何勤勤恳恳地工作罢了。”皋陶说：“那么，你所努力从事的是一些什么工作呢？”禹说：“当时，大水几乎将天空遮蔽，那浩大的洪水，包围了大山，冲上了陵冈，就连人都被洪水吞没了。我乘坐着四种交通工具，随着勘察的山路，插上木槎作为标记，并且和伯益一起把打猎得来的鸟兽，分发给人们。我领导异姓疏通了九州的大河，使水都流到大海里去；又疏通了田间小沟，使田地中的水都流到大河中去；又和稷一起，教导百姓播种百谷，给人们提供了粮食和肉食；又发展贸易以互通有无。人们才得以安居乐业，千万个诸侯国才得以治理。”皋陶说：“对啊！你的这些话真是不错呀！”

【解读】

这是舜和大禹的一段对话，在对话中，禹主要讲述了自己的功绩，即他是如何治水的。大禹说出这段话，就是想说明圣人君子不能忘记造福百姓。

大禹的这一番话，得到了皋陶的赞扬，因为大禹通过治水造福了百姓。做官，则要通过治理人民来为人民造福，只有人民安定了，国家才会安宁。

【原文】

帝曰："无若丹朱傲①，惟慢游是好②，傲虐是作③。罔昼夜頟頟④，罔水⑤行舟。朋淫于家⑥，用殄厥世⑦，予创若时⑧。"

禹曰："娶于涂山⑨，辛壬癸甲⑩。启呱呱而泣，予弗子⑪，惟荒度土功⑫。弼成五服⑬，至于五千，州⑭十有二师。外薄⑮四海，咸建五长⑯。各迪⑰有功，苗顽弗即工⑱。帝其念哉！"帝曰："迪朕德⑲，时乃功惟叙⑳。"皋陶方祗厥叙㉑，方施象刑惟明。

【注释】

①丹朱：尧的儿子。傲：傲慢。

②惟：只。慢：通"漫"，懒惰，放纵。好：喜好。

③虐：同"谑"，嬉戏。作：为。

④罔：作"不，没有"之意。頟頟（é）：意思是船行不安，昼夜不息。

⑤罔水：水浅得好像没水一样。

⑥朋淫于家：指丹朱做了一些有伤风俗的事情。朋，读为"风"，雌雄相互引诱叫风。淫，淫乱。

⑦用：因。殄（tiǎn）：灭绝。厥：其。世：父子相继。

⑧创：惩。若：顺。时：指示代词，通"是"，犹这。

⑨涂山：指涂山氏，即居住在涂山的部落。

⑩辛壬癸甲：古时以干支记日，辛壬癸甲指四天。相传禹结婚之后三天，即前往治水。

⑪子：当是"字"，抚问。

⑫惟：只。荒：大。土功：指治理水土的事情。

⑬弼：辅佐。五服：五种服役的地区。

⑭州：指十二州。相传禹治水后，分中国为九州。舜又分冀州为幽州、并州，分青州为营州，共为十二州。故《尧典》也作十二州。

⑮薄：迫近。

⑯咸：皆。五长：每五个诸侯国便立一长以为统帅，这是九州之外边远地区的编制（采郑玄说）。

⑰迪：道。

⑱苗：南方少数民族，其时与中原民族对抗。顽：对抗。弗即工：谓因其顽抗不使就官。弗，不。即，就。工，官。

⑲迪朕德：倒装句，应为“朕德迪”。迪，导。德，教。

⑳时乃功惟叙：倒装句，当作“惟叙时乃功”。时，通“是”，这。乃，你，指禹。功，功劳。叙，顺，意指百姓顺从教导。

㉑祗：敬。厥：其，仍指禹。叙：通“绪”，事，当指考虑使用刑罚之事。

【译文】

舜说：“不要像丹朱那样骄傲。丹朱只懂得放纵轻浮，行为嬉戏无聊，不分昼夜地使人争斗吵闹。他还在家里纵情声色，如同旱地行船般无事生非，所以，我惩罚他是理所应当的，他被剥夺了继承帝位的权力。”

禹说：“我娶了涂山氏的女儿为妻，在结婚之后的第三天就出发治水。等到儿子启出生的时候，他一落地便呱呱地哭着，我都没有照顾爱抚过，只是全力忙于治理水土的事情。经过苦心经营，我帮助君主开疆辟土，划分了行政区域，规定各地朝贡物品，在王畿之外，根据远近的不同分出五种服役的地区，一直到距离王城五千里的地方，把全国分为十二州，选定州长。十二州以外，四海之内，每五个方国就确定一个大方国的诸侯为长。这些诸侯之长都能够根据要求建立功业，只有苗民负隅顽抗，不肯服役，所以君主一定要将这件事放在心上啊！”舜说：“用我们的德教去开导他们，只要三苗顺从，就是你的功劳了。”皋陶于是发布命令，命令臣民要听从大禹的领导，同时在考察案情使用刑罚时也务求公允得当。

【解读】

第一段是舜的言论。舜在这里申述了惩罚丹朱的理由，即“惟慢游是好”“傲虐是作”“罔昼夜頟頟”“罔水行舟”“朋淫于家”“用殄厥世”，正是因为丹朱奢靡腐化、放纵轻浮，舜才决定对他施以惩罚。第二段，禹再一次陈述了自己的功绩：治理水患，辅助国王开辟疆土、划分区域、设立行政。随后，他指出“苗顽弗即工”，即苗民顽强抵抗，尚未完全征服，并告诫舜帝要“其念哉”！从这里我们可以看出当时南北民族之间的严重矛盾。

对此，舜帝希望以德教开导苗民，希望他们在“德”的教化之下，可以听从禹的领导。由此可见“德”在当时社会的重要性。

【原文】

夔曰：“戛击鸣球、搏拊、琴瑟[①]，以咏。”祖考来格[②]，虞宾在位[③]，群后德让[④]。下管鼗鼓[⑤]，合止柷敔[⑥]。笙镛以间[⑦]，鸟兽跄跄[⑧]；箫韶九成[⑨]，凤皇来仪[⑩]。夔曰：“於[⑪]！予击石拊石，百兽率舞。”

庶尹允谐[⑫]，帝庸作歌曰：“敕天之命，惟时惟几[⑬]。”乃歌曰：“股肱喜[⑭]哉！元首起[⑮]哉！百工熙[⑯]哉！”皋陶拜手稽首飏[⑰]言曰：“念哉！率[⑱]作兴事，慎乃宪[⑲]，钦哉！屡省[⑳]乃成，钦哉！”乃赓载[㉑]歌曰：“元首明哉，股肱良哉，庶事康[㉒]哉！”又歌曰：“元首丛脞[㉓]哉，股肱惰哉，万事堕哉！”帝曰：“俞！往，钦哉！”

【注释】

①戛（jiá）：敲击。鸣球：乐器的一种，即玉磬。搏拊：皮制的乐器，形状如小鼓。琴瑟：乐器名，于奏乐结束时击之。

②祖：指颛顼。考：指尧。这里说的是他们的灵魂。格：至。

③虞宾在位：指前代帝王的后裔，这个人对舜来说当为贵宾。

④群后：指诸侯国君。德：升。让：揖让。

⑤下：指吹管者在堂下。管：竹制乐器的总名。鼗（táo）鼓：两旁有耳的小鼓。

⑥合：合乐。止：谓止乐，止乐用敔。柷（zhù）：古乐器，形如方斗。敔（yǔ）：古代打击乐器，形如伏虎，奏乐将终时，击之使演奏停止。

⑦笙：乐器。镛：大钟。间：指笙和镛互相代替着演奏。

⑧鸟兽：当由人扮成。跄跄（qiāng）：跳舞。

⑨箫韶：舜所制之乐。九成：每次乐曲完结后，再变更另奏，变更九次，奏乐才算结束。成，终。

⑩凤皇：传说中的神鸟。仪：成双成对。

⑪於（wū）：感叹词。

⑫庶：众。尹：官。允：信。谐：和谐。

⑬惟时惟几：时时事事都要提高警惕。几，小事。

⑭股肱：指大臣。喜：谓乐于尽忠。

⑮元首：指君主。起：兴起。

⑯百工：百官。熙：振作。

⑰拜手：跪下之后，两手拱合，俯首至手与心平，而不至地，因称拜手。稽（qǐ）首：一种隆重的跪拜礼，行礼时叩头至地。飏（yáng）：通“扬”，继续。

⑱率：表率，言君主当为大臣的表率。

⑲宪：法。

⑳屡：多次。省：省察。

㉑赓：继续。载：为。

㉒庶：众。康：安。

㉓丛脞（cuǒ）：烦琐。

【译文】

夔说："敲起玉磬，打起搏拊，弹起琴瑟，演唱起来吧！"先王的灵魂来到了，贵宾们也都就位了，诸侯国君都走上礼堂，各方国诸侯和首领相互揖让着坐下来。庙堂下吹起管乐，打起鼓，击起柷以作为演奏的开始，击敔以作为演奏的结束。笙和大钟交替演奏着乐曲，人们扮演着鸟兽竞相起舞；箫韶的音乐演奏了九次，凤凰便成对地飞起来。夔说："啊！我敲着石磬，人们扮演的百兽纷纷起舞！"各位官员也都加入礼乐队伍，一起跳起来了。

舜因而作歌道："勤劳天命，时时事事都需要小心谨慎。"又歌唱道："大臣们都乐于处理政务，君主的事业也都兴盛起来，百官也就振作啊。"皋陶叩头行礼，接着便继续说道："请大家记住这些话！君主处处作为臣民的表率，百事就振兴起来，谨慎地对待你自己立下的法度，要恭敬啊！凡事反复考察自省才会成功，要恭敬啊！"于是又继续歌唱道："君主圣明啊，大臣贤能啊，诸事安宁啊！"又歌唱道："君主将精力放到那些微不足道的事情上，大臣们懈怠下来，那么政务就不会顺利。"舜行礼答谢说："对啊！希望你们恭谨地各司其职吧！"

【解读】

这部分主要讲述的是君臣作歌娱乐。夔是主持乐官，主要职能是教导那些年轻人。待先王的灵魂、诸侯国君都来到之后，在夔的指挥下，场上开始了盛大的演奏，"鸟兽"也随着音乐舞蹈起来。百官互相信任，和睦团结，在这样和谐、欢乐的氛围中，舜帝亦受到感染，不禁作歌，意在鼓励百官做事小心谨慎、乐于政务，维护国家的兴盛。

这部分以君臣同乐这一个场面，反映了当时整个社会的和谐、安乐、团结。

## 甘誓①

【原文】

大战于甘，乃召六卿②。王曰："嗟！六事③之人，予誓告汝：有扈氏威侮五行④，怠弃三正⑤。天用剿⑥绝其命。今予惟恭行⑦天之罚。左不攻⑧于左，汝不恭命；右不攻于右，汝不恭命；御⑨非其马之正，汝不恭命。用命，赏于祖⑩；弗用命，戮于社。予则孥戮⑪汝。"

【注释】

①甘誓：是一篇战争动员令，是后人根据传闻写成的。甘是地名，一说在有扈氏国都的南郊（今陕西鄠邑西南）。誓是古时告诫将士的言辞。

②六卿：六军的将领。古时天子拥有六军。

③六事：六军的将士。

④威侮：轻慢，轻视。五行：金、木、水、火、土五种物质。

⑤怠：懈怠。三正：指建子、建丑、建寅，指历法。

⑥用：因此。剿：灭绝。

⑦恭行：奉行。

⑧左：战车左边。攻：善。

⑨御：驾车的人，即处在战车中间位置上的人。

⑩赏于祖：古时天子亲征，随军带着祖庙的神主和社神的神主。有功的，就在祖庙神主之前赏赐，惩罚则在社神神主前进行，表示不敢自己专行。

⑪孥：奴，降为奴隶。戮：刑戮，惩罚。

【译文】

甘地将要爆发一场大规模的战争，夏启于是召集六军的将领。王说：“啊！诸位将领和士兵，我现在要发布誓词告诫你们：有扈氏轻蔑五行，冒天下之大不韪，怠慢甚至放弃了天、地、人之正道。所以，上天要收回他的大命，现在我奉行天地大命前去惩罚他们。兵车左边的兵士若不善于用箭射杀敌人，兵车右边的兵士若不善于用矛刺杀敌人，驾驶战车的兵士若不懂得驾驭战马的技术，就是没有奉行我的命令。执行命令的，胜利之后将会在祖庙得到赏赐；不执行命令的，就会在社庙的神位面前给予惩罚。将这些人变作奴隶，以表示惩罚。”

【解读】

这是一篇战争动员令。至于为何要发动这场战争，从誓词中不难得知，即“有扈氏威侮五行，怠弃三正”，因而“今予惟恭行天之罚”。在出征之前，启为了鼓舞士气，进行了战争动员。而从夏启的话语中，我们可以看出他的干脆果决，旨在表明心意。

自古以来，天子率军出征，多讲求“师出有名”，一定要让将士们明白他们是为何而战、为谁而战。天子是主帅，由他来发布战争动员令，既有权威性，又有感召力，还可以宣扬出征打仗的正义。而古人最为重视“天命”，因而最能够征服人心的出征理由就是奉行天命，可谓简洁而震撼人心。

## 五子之歌

【原文】

太康尸[①]位，以逸豫灭厥德，黎民咸贰[②]，乃盘游无度，畋于有洛之表，十旬弗反[3]。有穷[4]后羿因民弗忍，距于河，厥弟五人御[5]其母以从，徯于洛之汭[6]。五子咸怨，述[7]大禹之戒以作歌。

其一曰："皇祖有训，民可近，不可下[8]。民惟邦本，本固邦宁[9]。予视天下，愚夫愚妇一[10]能胜予。一人三失，怨岂在明？不见是图[11]。予临兆民，懔乎若朽索之驭[12]六马，为人上者，奈何不敬[13]？"

其二曰："训有之，内作色荒[14]，外作禽荒[15]。甘酒嗜音[16]，峻宇雕[17]墙。有一于此，未或[18]不亡。"

其三曰："惟[19]彼陶唐，有此冀方[20]。今失厥道[21]，乱其纪纲，乃底灭亡[22]。"

其四曰："明明我祖，万邦[23]之君。有典有则，贻[24]厥子孙。关石和钧，王府则有[25]。荒坠厥绪，覆[26]宗绝祀！"

其五曰："呜呼曷归[27]？予怀之悲。万姓仇予，予将畴[28]依？郁陶[29]乎予心，颜厚有忸怩[30]。弗慎厥德，虽悔可追[31]？"

【注释】

①太康：夏启的儿子。尸：鬼神的代表。

②豫：乐。贰：贰心，通作二心。

③盘：这里为享乐的意思。游：游逸，闲适。畋（tián）：田猎。洛之表：指洛水的南面。十旬：百天。反：作"返"。

④有穷：古时的国名，位于东方。

⑤厥：其。御：侍奉，服侍。

⑥徯（xī）：等待。汭：河水的转弯处，这里是指洛水的转弯处。

⑦述：追述。

⑧皇祖：代指大禹，太康及其五子的祖父，启的父亲，夏王朝的实际建立者。训：训诫。近：亲近。下：卑微，卑下，引申为疏远。

⑨民惟邦本，本固邦宁：蔡沈有言："且民者国之本，本固而后国安。"

⑩予：大禹自称。一：都，全部。

⑪三失：三是一个虚指，代表多的意思。明：彰显。见：显现。图：图度。

⑫临：面临。懔：畏惧，害怕，恐惧。朽索：腐烂的绳索。驭：驾驭，指挥。

⑬敬：谨慎，小心。

⑭色荒：沉迷于女色。色，指女色。荒，迷惑、诱惑。

⑮禽荒：指沉溺于游猎。

⑯甘酒嗜音：意为爱好音乐和美酒，不知道满足，毫无节制。甘、嗜，均为爱好、嗜好之意。

⑰峻：高，大。宇：栋宇。雕：修饰，绘饰。

⑱未或：没有不。或，有。

⑲惟：发语词，没有意义。

⑳冀方：即古代冀州。

㉑道：天道，大道。

㉒灭亡：这里指夏桀时夏朝的灭亡。不过，史学家对此观点有异议，认为在此应指“太康失国”一事。

㉓我祖：指大禹。万邦：泛指天下诸侯国。

㉔典：章法，法典。则：法则。贻：遗留。

㉕关石和钧，王府则有：指关征和赋税计算平均，王府则实有，引申为让关门通常，民众平和。

㉖荒：荒废。坠：坠落。绪：前人的功绩。覆：覆灭。

㉗曷归：归向何方的意思。曷，何。

㉘万姓：此处泛指天下百姓。仇：怨。畴：谁。

㉙郁陶：忧愁，哀思，悲苦。

㉚颜厚：羞愧之色。忸怩：内疚之心。

㉛追：补救，营救。

【译文】

太康虽是天子却不理天子之事，贪图安逸和游乐，丧失了天子应该具备的品德，所以百姓纷纷背叛他。面对如此情景，他却不知悔改，依然沉浸在游乐之中，在洛河之南打猎，一百天也不回朝。有穷氏的国君羿，趁着百姓对太康不满，在黄河界边布下伏兵进行抵抗。太康的五个弟弟服侍他们的母亲，在洛水等待着太康。五个弟弟都埋怨太康，述说大禹的训诫而作歌。

第一首说："伟大的先祖训诫百姓时说：百姓可以亲近，却不可以疏远。百姓是国家的根本，只有根本得到巩固，国家才会安宁。我看天下百姓，那些无知的丈夫与妇人，只要一人之力就可以胜过我。一个人犯了三次错误，但依然不知道悔悟，百姓的怨恨，难道要明显地表现出来才会感觉到吗？作为君主，应该在他们还没有明显表现出来的时候就想办法补救。我们统治亿万臣民，要心怀畏惧像用腐朽的绳索去驾驭六匹马那样，做百姓的君主，怎么能不恭敬呢？"

第二首说："训诫中有这些话：在宫室之内沉迷女色，在外面沉湎于游猎，甘于美酒，嗜好音乐，建筑高大的殿宇，绘饰墙壁。身为一国之君，以上嗜好有其一，国家就会灭亡。"

第三首说："只有那唐尧，由冀州而统有天下四方。现在丧失了尧的治国之道，搞乱了尧所建立的法度，所以才会灭亡。"

第四首说："我们那英明睿智的先祖大禹，他曾是万国之君。他建立的法度与典章，留给了子孙。流通的度量规定，合理而公允，并且由政府掌握其标准，臣民皆富足而安定。现在这些法度和传统遭到了彻底的破坏，我们的国家就要灭亡了！"

第五首说："唉！哪里才是我们的归宿？我们心怀悲痛。百姓仇视我们，我们还可以依靠谁呢？悲痛郁积存在于我们的内心，表情忸怩而内心惭愧。不谨慎地保持大禹的品德，虽然深感懊悔，却不知是否有补救之策？"

【解读】

相传，夏朝开国君主夏启除了儿子太康，还有五个儿子，具体名字不详。夏启死后，太康即位。太康抛弃了夏启的优良传统，居天子之位却不理天子之事，贪图安逸，且"盘游无度"，丧失君德。在洛水打猎时，羿乘机作乱阻止太康回朝。太康随行的五个弟弟，每个人作歌一首批评太康，即为《五子之歌》。

这部分文字可分为六段。第一段，主要讲述作歌的原因，以下每首歌各作一段。每首歌各有重点。第一首歌的重点在"民惟邦本，本固邦宁"，意在告诫太康：人民才是国家的根本，根本牢固，国家才可安宁。第二首歌的重点在戒除奢靡部分，旨在警惕太康勿要因此落得亡国的下场。第三首歌的重点在提出"纪纲"。第四首歌的重点在"关石和钧，王府则有"，主要是为了告诫太康国家只有制定了完善的典章、法度，合理赋税，才会日渐强盛。第五首歌的重点在"慎厥德"，因为只有慎行祖德，才能让先祖的基业千秋万代传承下去。这五首歌对于历史经验的总结均要言不烦。特别是第一首歌所提到的"民惟邦本，本固邦宁"，更是意义重大，影响深远。

# 商书

## 汤誓

【原文】

王曰："格尔众庶[①]，悉听朕言。非台小子[②]敢行称乱[③]。有夏多罪，天命殛[④]之。今尔有众，汝曰：'我后不恤我众，舍我穑事[⑤]而割正[⑥]夏？'予惟闻汝众言，夏氏有罪。予畏上帝，不敢不正。今汝其曰：'夏罪其如台[⑦]？'夏王率遏[⑧]众力，率割[⑨]夏邑，有众率怠弗协[⑩]，曰：'时日曷[⑪]丧，予及汝皆亡！'夏德若兹，今朕必往。

"尔尚辅予一人，致天之罚，予其大赉[⑫]汝。尔无不信，朕不食言[⑬]。尔不从誓言，予则孥戮汝，罔有攸[⑭]赦。"

【注释】

①王：指商汤。格：来。众庶：众人，大家。

②台（yí）：我。小子：对自己的谦称。

③称乱：发难。称，举，发动。

④殛：诛杀。

⑤穑（sè）事：农事。

⑥割：通"害"。正：与政通，代指征伐一类的事情。

⑦如台：如何。台，疑问代词。

⑧遏：竭，尽力，竭力。

⑨割：害。

⑩有众：这里指夏统治下的民众。率：大多，大都。怠：怠工。协：和。

⑪时：指示代词，这个。日：这里指夏桀。曷：什么时候。

⑫赉：赏赐。

⑬食言：指不讲信用。食，吞没。

⑭罔：无。攸：所。

【译文】

王说："来吧！诸位。大家都要服从我的命令。不是我小子大胆敢于发难。夏王犯了很多罪行，于是上天让我前去诛灭他。现在你们众人当中，或许会有很多人说：'我们的国王太不体贴我们了，将我们种的庄稼都舍弃了，犯了这样的大错，怎么可能纠正别人呢？'我听到了你们的话，但是夏王确实罪不可恕。我畏惧上天，不敢不去征伐。"现在你们或许会问我：'夏桀的罪行究竟怎样呢？'一直以来，夏桀都让百姓担负沉重的劳役，还在国内残酷地剥削压迫百姓。百姓对于夏桀的统治很不满，大家都怠于奉上，对君主的态度也很不友好，说：'夏桀，你这个太阳啊，你什么时候才会消失啊？如果这样的话，我愿意陪你一同去死！'夏国的政治，已经坏到这种程度，所以现在我下定决心去讨伐它。

"你们只要辅助我，奉行上天的命令讨伐夏国，我就会大大地赏赐你们。你们不要不相信，我不会说话不算数的。如果你们不服从我的话，我就会让你们去做奴隶，绝对不会宽恕。"

【解读】

夏桀在历史上可谓是臭名昭著，他的残暴令人发指，也由此导致了夏王朝的灭亡。他自比为太阳，以为光照万里，但是他忘记了，当太阳最耀眼的时候，便预示着它即将西下陨落。果不其然，夏桀的暴政令天人共愤，众叛亲离。

商汤看准了这天怨人怒的大好时机，决定推翻暴政，还天下太平。不过，在举兵伐桀时，他并没有表现得那么自信、那么正气凛然，而是以劝慰加威胁的方式，软硬兼施。

商汤这一番慷慨激昂的话语令在场的百姓斗志昂扬，可以说，他已经将百姓的心理揣摩透了。那一句“时日曷丧，予及汝皆亡”所产生的巨大穿透力，更是令人心涌动，可算是千古名句。

## 仲虺之诰

【原文】

夏王有罪，矫诬①上天，以布命于下。帝用不臧②，式③商受命，用爽厥师④。简贤附势，实繁⑤有徒。肇我邦⑥予有夏，若苗之有莠⑦，若粟之有秕⑧。小大战战，罔不惧于非辜⑨；矧予之德，言足⑩听闻。惟王不迩声色，不殖⑪货利；德懋懋官⑫，功懋懋赏；用人惟己，改过不吝⑬；克宽克仁，彰⑭信兆民。乃葛伯仇饷，初征自葛⑮。东征西夷怨，南征北狄怨，曰：‘奚独后⑯予？’攸徂之民，室家⑰相庆，曰：‘徯予后，后来其苏⑱。’民之戴商，厥惟旧⑲哉！

【注释】

①夏王：指夏桀，著名暴君。矫：矫制，假托。诬：欺骗。蔡沈《书集传》说：“桀知民心不从，矫诈诬罔，托天以惑其众。”

②用：因此。臧：善，引申为喜欢。

③式：用。

④师：众。

⑤简：略，含有忽略、轻慢的意思。附：依附。势：有势力的人。繁：繁多。

⑥肇：开始。我邦：商人自称。灭夏之前，商是夏朝统治下的方国。

⑦莠（yǒu）：生长在农作物中间的杂草。

⑧秕（bǐ）：空壳的谷物。

⑨战战：恐惧的样子。非辜：无辜，无罪。

⑩矧：况，何况。足：能够。

⑪迩：近。殖：聚，聚敛。

⑫德懋懋官：第一个懋，茂也，繁多之意。第二个懋，勉力。

⑬吝：吝惜。

⑭克：能够。彰：昭明。

⑮葛伯：葛国之君。葛：夏朝的属国。

⑯奚：何。后：先后之后。

⑰攸：所。徂：往。室家：妻室儿女。

⑱徯：待，等待。后：君，王，指成汤。苏：复苏。

⑲戴：拥戴，爱戴。旧：久，非一日。

【译文】

夏王是有罪的，他假借上天的旨意，欺骗民众。所以上天认为夏王是不好的，便以你（指成汤）为楷模而授商以大命；以你为榜样，让你的民众都能够趋于贤明。慢待贤者，趋炎附势，这样的人数不胜数。从前我们商国刚刚建立的时候，夏桀对待我们就如同杂草一般。那时，我们每天都战战兢兢，只担心无罪受罚。但是你不同，你是有德之人，只要说出话来，就有人信从。只有你不近声乐和女色，不以聚集财货为利。功劳大的便给予丰厚的赏赐；德行高尚的便授予高官；勇于采取他人的意见，就如实行自己的意见一般；改正自己的错误毫不吝惜；宽大仁慈，德行昭著，取信于万民。

那葛国国君，恩将仇报，杀掉我们前往葛国救灾的人，于是便从葛国开始第一次征伐。当我们向东征伐的时候，西方的人们埋怨我们；当我们向北征伐的时候，南方的人们埋怨我们说：‘为什么单独把征伐我们的国君放在后面。’凡是被我们征伐的国家，那里的人们都在家中庆贺说：‘王啊！我们等待你很久了。王啊！你来了我们便可以兴盛了。’老百姓对于商的爱戴，那是很久的了。

【解读】

这篇诰文是在商汤灭夏桀之后凯旋，途经大坰时，由仲虺所作。

在诰文中，仲虺讲到了夏桀的罪孽，他欺骗百姓，不能选贤任能，依附权势，这样的人就连上天都不喜欢，所以商汤灭夏桀是遵从了上天的旨意，百姓无不欢呼雀跃。更何况，大王“不迩声色”“不殖货利”“德懋懋官”“功懋懋赏”“用人惟己”“克宽克仁”，所以，“民之戴商”，已经很久了。

从以上内容不难看出，诰文主要讲述了夏王的罪行与汤王的德行，所以理应代夏以释汤之惭。

作为君主要勤于政务、选贤任能、贤德待臣、宽以待民，让官员各司其职、尽忠职守，以百姓的意愿为本，从而得到百姓的爱戴与拥护，如此，君、臣、民团结一心，定能让整个国家昌盛起来。

## 汤诰

【原文】

王归自克夏，至于亳①，诞②告万方。

王曰："嗟！尔万方有众，明听予一人[3]诰。惟皇[4]上帝，降衷[5]于下民。若有恒性[6]，克绥厥猷惟后[7]。夏王灭德作威，以敷[8]虐于尔万方百姓。尔万方百姓，罹[9]其凶害，弗忍荼毒[10]，并告无辜于上下神祇[11]。天道福善祸淫，降灾于夏，以彰厥罪。肆台小子[12]，将天命明威，不敢赦，敢用玄牡[13]，敢昭告于上天神后，请罪有夏。聿求元圣[14]，与之戮力，以与尔有众请命。上天孚佑[15]下民，罪人黜伏[16]，天命弗僭[17]，贲[18]若草木，兆民允殖[19]。俾予一人辑宁[20]尔邦家，兹朕未知获戾于上下[21]，栗栗[22]危惧，若将陨于深渊。凡我造邦，无从匪彝[23]，无即慆淫[24]，各守尔典，以承天休[25]。尔有善，朕弗敢蔽；罪当朕躬，弗敢自赦，惟简[26]在上帝之心。其尔万方有罪，在予一人；予一人有罪，无以尔万方。呜呼！尚克时忱[27]，乃亦有终。"

【注释】

①亳：成汤的国都。

②诞：《集传》："诞，大也。"

③予一人：秦以前之古代帝王自称。

④皇：伟大。

⑤衷：指美德。

⑥恒性：谓长久地保持美德。承上文"衷"而言。

⑦克：能够。绥：安。猷：教导，教育。后：帝王，天子。

⑧敷：施行。

⑨罹：遭受。

⑩荼毒：残害。

⑪神祇：天神与地神。祇，地神。

⑫肆：故，因此。台：人称代词，我。

⑬敢：谦词，犹言冒昧。玄牡：黑色公牛，谓以此为祭品。夏尚黑，殷商尚白，说明商初建，未变夏礼。

⑭聿（yù）：助词，用于句首或句中。元圣：大圣人，指伊尹。

⑮孚：信，相信。佑：帮助。

⑯罪人：指夏桀。黜伏：流放，斥退。

⑰僭（jiàn）：差错。

⑱贲（bì）：文饰，装饰。

⑲允殖：生息繁衍。

⑳俾（bǐ）：使。辑宁：治理使之安定。

㉑获戾：获罪，得罪。戾，罪。上下：指天地神灵。

㉒栗栗：颤抖，形容恐惧。栗，通"慄"。

㉓匪：同"非"。彝：法规，法度。

㉔无：通"毋"，不要。即：接近。慆淫：怠惰纵乐。

㉕天休：谓上天的福佑。休，美，指福佑。

㉖简：检验核实。

㉗时：通"是"，此。忱：诚心诚意。

【译文】

汤王战胜夏桀之后来到了亳，大声向四方宣告。

王说："啊！众多国家的民众，请清楚明白地听取我的命令。伟大的上天将美好的品德降下，如果想让民众可以长久地保持这种美德，只有天子建立起教育才可以做到。夏王丧失了他应具的品德而作福作威，虐待百姓。你们所有地方的百姓，无不承受这样的灾难，无辜的你们于是向天祈求。天道是善有善报，恶有恶报，于是将灾难降临到夏国，以暴露夏王的罪恶。所以，我秉承着上天威严的命令，不敢赦免夏桀的罪行，冒昧地用黑色公牛作为祭品，明确地祭告上天后土，请求降罪于夏桀。于是寻求那伟大的圣人，与你们一起向上天祈求。上天相信并且保护下界的百姓，罪人夏桀被流放斥退失去天子之位，遭到应得的惩罚，上天的旨意是不会出错的，如此，整个国家都焕然一新了。上天使我安定治理你们的国家，现在，我不知自己这样做是不是会被天地神灵降罪，所以战战兢兢，心怀畏惧，犹如坠入深渊一般，所以我要恕罪。此后，只要我所开创的邦国都不要失去法度，都不要怠惰贪图逸乐，每个人都遵守法典，如此就可以得到上天的嘉奖。你们有善行，我不敢隐蔽；我有过错，也不敢擅自饶恕，因为所有这些都为上天所检验核实并记在心中。你们有了罪过，就是我的错；我有了罪过，绝不能让你们受连累。唉！如果可以做到这些的话，就一定会有好的结果。”

【解读】

《孔传》中载：“汤既黜夏命，复归于亳，作《汤诰》。”诰文的开篇主要讲述了发布诰文的背景。接下来诰文的正文，主要分为两个部分：

第一部分，主要阐明讨伐夏桀的理由，在这里有两点是值得注意的，其一是提出“天道”，其二是“聿求元圣”。所谓“天道”即“福善祸淫”。因为夏桀丧失了原本的品德而作威作福，虐待百姓，依据“天道”就应该加以讨伐，而这就是所谓的“奉天伐罪”。“聿求元圣”，此处“元圣”即伊尹。伊尹不仅在灭夏的过程中，尤其在巩固殷商政权的过程中起到了不可替代的重要作用。

第二部分，重点讲述了建国之后的要求与安排。建国之后的前景是一片光明的，即文中所说的“贲若草木，兆民允殖”，但是依然要懂得居安思危。对自己而言，一定要抱着“栗栗危惧，若将陨于深渊”的心态谨慎地处理政务；对属下诸侯部落而言，则一定要“无从匪彝，无即慆淫，各守尔典”。可以说，如此的要求与安排，不但显示出汤王的英明，也给后代留下了永恒的启示。

## 伊训

【原文】

惟元祀十有二月乙丑①，伊尹祠②于先王。奉嗣王祇见厥祖③，侯甸群后咸④在，百官总己以听冢宰⑤。伊尹乃明言烈祖⑥之成德，以训于王。

曰："呜呼！古有夏先后，方懋厥⑦德，罔有⑧天灾。山川鬼神，亦莫不宁，暨鸟兽鱼鳖咸若⑨。于其子孙弗率⑩，皇天降灾，假⑪手于我有命。造攻自鸣条⑫，朕哉自亳⑬。惟我商王，布昭⑭圣武，代虐以宽，兆民允怀⑮。今王嗣厥德，罔不在初⑯，立爱惟亲，立敬惟长，始于家邦，终于四海⑰。呜呼！先王肇修人纪⑱，从谏弗咈⑲，先民时若⑳。居上克明，为下克忠，与人不求备，检身若不及，以至于有万邦。兹惟艰哉！敷求哲人㉑，俾㉒辅于尔后嗣。制官刑㉓，儆于有位㉔。曰：'敢有恒㉕舞于宫，酣歌㉖于室，时谓巫风㉗；敢有殉于货色㉘，恒于游畋㉙，时谓淫风㉚；敢有侮㉛圣言，逆忠直，远耆德㉜，比顽童㉝，时谓乱风㉞。惟兹三风十愆㉟，卿士有一于身，家必丧；邦君有一于身，国必亡。臣下不匡㊱，其刑墨㊲，具训于蒙士㊳。'呜呼！嗣王祇㊴厥身，念哉！圣谟洋洋㊵，嘉言孔彰㊶。惟上帝不常，作善降之百祥，作不善降之百殃㊷。尔惟德罔小，万邦惟庆；尔惟不德罔大，坠厥宗㊸。"

【注释】

①元祀：古代帝王即位之年称元年，此时举行的大祀称元祀。十有一月乙丑：《集传》曰："商以建丑为正，故以十二月为正也。乙丑，日也。"

②祠：祭祠，指在祖庙前举行祭奠。

③嗣王：指太甲。祗：恭敬。厥：其，指太甲。祖：主要指先祖成汤的神位。

④侯甸群后：泛指远近诸侯部落首领。咸：都。

⑤冢宰：百官之长，指伊尹。

⑥烈祖：指成汤。

⑦懋：勉力，努力。

⑧罔有：没有。

⑨暨：及。若：如此，这样。

⑩率：遵循，仿效。

⑪假：借。

⑫鸣条：地名。在今山西运城境内。

⑬朕：先秦以前古人自称之词，此处当谓我们。哉：开始。亳：地名。

⑭布：遍布。昭：昭示。

⑮允：相信。怀：怀念，引申为感戴。

⑯初：开始。此句有告诫太甲要慎始慎终之意。

⑰“立爱惟亲”四句：《孔传》：“言立爱敬之道始于亲长，则家国并化，终至四海。”

⑱肇（zhào）：创始，创立。人纪：人伦纲纪，指人们应当遵守的道德与规则。《孔传》：“言汤始修为人纲纪。”

⑲咈（fú）：违背。

⑳时：通“是”，此，这。若：顺从。

㉑敷：通“溥”，普遍。哲人：才德识见卓越的人。

㉒俾：使。

㉓官刑：约束官吏的刑法。

㉔儆：警告，警示。有位：指在位的官吏。

㉕恒：时常。

㉖酣歌：沉迷于饮酒歌乐。

㉗巫风：孔颖达疏："废弃德义专为歌舞，似巫者事鬼神然，言其无政也。"

㉘殉：谋求。货：财物。色：女色。

㉙游畋：游猎。

㉚淫风：过度逸乐的风气。

㉛侮：轻视。

㉜耆（qí）德：年老有德行的人。

㉝比：亲近，勾结。顽童：愚顽不懂仁德的小人。

㉞乱风：违背德义的风气。

㉟三风：指上述巫风、淫风、乱风。十愆：上述巫风、淫风各二，乱风四相加共十条过错，因此称为十愆。愆，过失。

㊱匡：纠正。

㊲墨：古代五种刑罚之一，在脸上刺字，然后染以墨色。

㊳具：都。蒙士：知识浅薄的下士。

㊴祗：恭谨。

㊵洋洋：广大的样子。

㊶嘉言：美好的言论。孔：表程度，非常的意思。彰：清楚明白。

㊷殃：灾祸，灾难。

㊸坠：失去。宗：宗庙，代指国家。

【译文】

太甲即位的时候举行祭祀大典，十二月乙丑日，伊尹在祖庙祭祀成汤。请王位的继承人太甲拜见先祖，各邦国的国君也一同参加祭典，朝廷内的百官也都听从于百官之长的命令。伊尹于是明确地叙述成汤的大德，用以告诫太甲。

（伊尹）说："唉！古代夏朝的君主，一直在努力提升自身的品德，这才没有天灾，山川鬼神也无不安宁，甚至鸟兽鱼鳖也都有各自的去处。一直到后代子孙，不去仿效他们祖先的榜样，上天于是降祸于夏国，假借我们先王之手，让他奉行征讨夏朝的命令。于是，便从鸣条开始了讨伐，我们的先祖成汤从亳地开始创建大业。只有我商王成汤，在普天之下显示出他的圣明和威武，以他的宽厚代替了残暴，天下百姓无不信任他，感激他。现在，你继承了王位，一定要从现在开始培养自身的德行。建立仁爱要从亲族开始；建立对长辈的尊敬，也要从亲族开始，之后影响到整个国家以至四海。唉！先王创立修订人伦纲纪，遵守谏正而不违背就可以顺应民心。居于帝位可以洞察下情，做臣民的都能够忠心耿耿。对于别人不求全责备，对于自身则加以检点，只怕有什么地方做得不好，正是因为这样，先祖才拥有了主宰万邦的地位。其中有多少艰难啊！广泛地寻求贤明之人，使他辅佐你这后继的君主。制定对官吏的惩罚条例，劝诫在位者说：'敢于在宫中经常举行歌舞，在家中酗酒高歌，这叫作巫风；敢于不惜一切地追求财物和美色，经常外出游猎，这叫作淫风；敢于漫不经心地对待圣人的言论，反对忠直之人，疏远年老德高之人，亲近无知无识的小人，这就叫作乱风。对于以上三种风气、十种过失，身为官吏的人只要触犯一条，他的整个家庭就会受到影响；做国君的只要触犯一条，他的整个国家都会灭亡。做臣下的不加匡正，罚以墨刑，知识浅陋的士人都要遵守这条规定。'继承大位的王啊，恭谨地要求自身，这些一定要放在心上！圣人的谋虑是深远的，美好的言论也是很清晰的。要知道，上天赐予的大命并不是固定不变的，行善事就会降下祥瑞；做恶事就会降下灾难。你要培养德行，善事不管多小都要努力去做，如果你这样做了，那么众多诸侯都会感到庆幸的；如果不去培养你的德行，那么不等到犯错，你的国家就会覆灭了。"

【解读】

本文由史官的记载开篇，之后步入正文。本文的正文可以分为三个部分。

第一部分，主要包含三层意思：第一层，夏的灭亡，在于后继者没有始终如一地保持先王之道；第二层，商王立国的大政方针“代虐以宽”；第三层，要求太甲始终按照商王立国的大政方针行事。

第二部分，要点在托以先王的名义建立“人纪”。所谓“人纪”就是指行政法规，且是君与臣无一例外均要遵守的。这个法规以“三风”为纲，以“十愆”为目。至于“与人不求备，检身若不及”，更是如格言一般具有永恒的生命力，被世人视为一个人应该具备的品格，与此同时，还提出了“臣下不匡，其刑墨”的观点，认为对君主的错误加以匡正是臣下应尽的责任，这种思想无疑也具有永恒的生命力。

第三部分，对太甲提出警示，告诉太甲要严格要求自身，要多行善事，培养德行，否则国家就会灭亡。这些警示的语言，每一句都耐人寻味！

## 盘庚①

【原文】

王若曰：“格汝众，予告汝训汝，猷黜乃心②，无傲从康③。古我先王，亦惟图任旧人共政④。王播告之修⑤，不匿厥指⑥，王用丕钦⑦。罔有逸⑧言，民用丕变⑨。今汝聒聒⑩，起信险肤⑪，予弗知乃所讼⑫。

“非予自荒⑬兹德，惟汝含德⑭，不惕⑮予一人。予若观火⑯，予亦拙谋作，乃逸⑰。

“若网在纲⑱，有条而不紊⑲；若农服田力穑⑳，乃亦有秋[21]。汝克黜乃心[22]，施实德[23]于民，至于婚[24]友，丕乃敢大言[25]，汝有积德。乃不畏戎毒于远迩[26]，惰农自安，不昏[27]作劳，不服田亩，越其[28]罔有黍稷。

“汝不和吉言[29]于百姓，惟汝自生毒[30]。乃败祸奸宄[31]，以自灾于厥身。乃既先恶于民[32]，乃奉其恫[33]，汝悔身何及！相时憸[34]民，犹胥顾于箴言，其发有逸口[35]，矧予制乃短长之命[36]？汝曷弗告朕而胥动以浮言，恐沉[37]于众？若火之燎于原，不可向迩，其犹可扑灭？则惟汝众自作弗靖[38]，非予有咎。”

【注释】

①盘庚：汤的第十世孙，商朝的第二十位君主。他为避免水患，复兴殷商，率领臣民把国都从奄（今山东曲阜）迁往殷（今河南安阳）。此举遭到了各方面的反对，盘庚极力申说迁都的好处，前后三次告谕臣民，终于说服臣民完成了迁都。

②格：至，来。汝众：你们大家。猷：同“由”，为了。黜：除去。心：指私心。

③傲：傲气，傲慢。从：纵，放纵。康：安逸。

④惟：想，思。图：考虑，谋划。任：任用。旧人：指世代做官的人。共政：共同管理政事。

⑤王：指先王。播：公布命令。修：施行。

⑥匿：隐瞒。指：通“旨”，意旨。

⑦用：因此。丕：大。钦：敬重。

⑧逸：过失，错误。

⑨民用丕变：意思是说因为大臣们顺从王的旨意行事，人们也就起了很大的变化，变得对国王颇为顺从。

⑩聒聒：大喊大叫，引申为拒绝别人的好意而自以为是。

⑪起：编造出来的话。信：通“伸”，申说。险：邪恶的言语。肤：浮夸的言语。

⑫讼：争辩。

⑬荒：废弃。

⑭含：怀着，藏着。德：好心，好意，此处指政令。

⑮惕：通“施”，给予。

⑯观火：爟火，指热火，比喻威严。观，通“爟（guàn）”。

⑰乃：你们。逸：放纵，纵容。

⑱若网在纲：以纲比君主，以网比臣民，若网在纲，比喻臣民要听从君主的话。纲，网的总绳。

⑲有条而不紊：这句话的意思是，如果可以这样，那么政务就会有条理而不混乱了。紊，乱。

⑳若：比如。农：此处泛指农业生产。服田：在田间劳作。服：服从，治理。力穑：努力收获庄稼。

㉑乃：副词。杨树达说：“于是也，然后也，始也，今语言‘这才’。”有秋：到秋天才会有好的收获。

㉒黜乃心：去掉你们的私心。

㉓实德：实惠的德行。

㉔婚：指有姻亲关系的亲戚。

㉕丕乃：岂不。大言：大话，大言不惭。

㉖乃：如果。戎：大。毒：毒害。远迩：远近，省略掉中心词，指远近的臣民。

㉗惰：懒惰。安：心安理得。昏：努力。

㉘越其：于是就。

㉙和：宣布。吉言：好话，指迁都时的话。

㉚惟：是。自生毒：自己种下的祸根。

㉛败祸奸宄（guǐ）：恶迹败露而遭祸害。败，败露。奸宄，做坏事，通常在外为奸，在内为宄。

㉜先恶于民：引导百姓作恶。先，引导。

㉝奉：承受。恫：痛苦。

㉞相：看。时：通“是”，这。憸（xiān）：小。

㉟犹：还，尚且。胥：相。顾：看。箴言：规诫的话。发：说出。逸口：从口中说出错话。

㊱矧（shěn）：况且。制：操纵，掌握。短长之命：指生死之命。

㊲恐：恐吓。沉：煽动。

㊳靖：善。

【译文】

王这样说："诸侯们，你们来！我要告诉你们，教训你们，为的是去掉你们的私心，让你们不要傲慢和追求安乐。从前我们的先王，也总是考虑任用贵胄，与他们一同处理政事。先王向群臣发布政令，他们绝对不敢隐匿先王的意旨而不下达。所以，先王十分敬重他们。大臣们从来不敢说什么错误的言论，所以百姓的行为有很大变化。现在你们大嚷大叫，编造出一些邪恶浮夸的话来，蛊惑人心，我真的不知道你们吵闹争辩些什么！

"不是我要毁坏我们的德政，只因为你们隐匿了德政，不把我的政令告诉给每一个人。我对此观察得清清楚楚，只是没对你们发出这种威严，才让你们的行为如此放肆。

"譬如，只有将网结在纲上，才会有条不紊。譬如农夫，只有尽力耕作，秋天才会收获。如果你们可以去掉私心，善待百姓和亲朋，那么你们不就可以斗胆扬言，说你们一向是积德的！你们不畏惧自己的言论会毒害臣民，而心安理得地做一个怠惰的农民，不努力做劳苦的事，不在田亩中种庄稼，如此就不会有收获。

"你们不将我的善言传达给百姓，这是你们咎由自取，你们所做的坏事败露，这样会伤害们你们自己。你们既然引导百姓做了坏事，痛苦也应该由你们来承担，到那时你们再后悔就来不及了！你们看，一般小民还顾及我所规诫的话，恐怕嘴里说错了话，更不要说你们的生杀大权操纵在我的手里了！你们有话为何不先和我说，竟然用没有根据的话去蛊惑人心呢？人心是容易蛊惑的，就好比大火燎原，还可以扑灭吗？这种情形是因为你们做了许多坏事造成的，不是我的过错。”

【解读】

这是盘庚规劝他的臣僚，责备他们不恪守先祖规矩，贪图享乐，傲慢无度，甚至用谣言蛊惑人心。

盘庚在讲述这段话时言辞恳切，其良苦用心可谓日月可鉴，顽固的臣僚们做何感想不得而知，但他们的丑恶嘴脸清晰可见。

很多官僚亦是蒙先人之德，才可参与国政，享有功名利禄。然而有了功名利禄，就会滋生骄奢淫逸，有恃无恐。有恃无恐，就会胡作非为，腐败就是由此而生的。

古代政治腐败存在两个重要根源：一是人治和世袭制造成了庞大的特权阶层；二是专制制度为人性丑恶的一面和弱点提供了温床。这里，盘庚对臣僚们训诫时请出了先王与旧制，对臣僚们形成了强大的震慑，毕竟血缘、祖先、传统在中国古代社会的作用无可替代。

【原文】

“呜呼！今予告汝不易①，永敬大恤，无胥绝远②！汝分猷③念以相从，各设中④于乃心。乃有不吉不迪⑤，颠越⑥不恭，暂遇⑦奸宄，我乃劓殄⑧灭之，无遗育⑨，无俾易种⑩于兹新邑。

“往哉，生生！今予将试以汝迁，永建乃家。”

【注释】

①易：轻易。

②胥：相互。绝远：疏远。

③分：比，亲近。猷：谋划。

④中：衷，和。

⑤迪：道路，正路。

⑥颠：狂。越：越轨。

⑦暂：通“渐”，欺诈。遇：通“愚”，奸邪。

⑧劓（yì）：割鼻。殄：灭绝。

⑨育：胄，指后代。

⑩俾：使。易：延续。种：后代。

【译文】

“啊！现在我来告诉你们目前的困难，你们对于我所忧虑的事情应该体恤，不应该相互疏远。你们应当同心同德按照我的意见行事，把正道放在心里。如果你们之间有人不善良，猖狂违法，欺诈奸邪，为非作歹，那么我就要把他们杀掉，并且还要杀掉他们的后代，不使他们的后代在新邑里繁衍。

“去吧！好好地生活，现在我就要你们迁徙，建立属于你们的永久的家园。”

【解读】

此篇盘庚说话的对象是民，是被统治者，所以显得声色俱厉，甚至恐吓那些“不吉不迪，颠越不恭，暂遇奸宄”的人，会“劓殄灭之，无遗育”。盘庚一改在上一篇中的委婉语气，其口气之强硬，尽显领袖的姿态，也从侧面反映了当时等级社会的局限性。

【原文】

盘庚既迁，奠[①]厥攸居，乃正厥位，绥爰[②]有力众，曰：“无戏怠[③]，懋建大命[④]！今予其敷心腹肾肠[⑤]，历告[⑥]尔百姓于朕志。罔罪尔众，尔无共怒，协比[⑦]谗言予一人。

“古我先王，将多于前功[⑧]，适于山[⑨]，用降[⑩]我凶，德[11]嘉绩于朕邦。今我民用荡析[12]离居，罔有定极[13]。尔谓朕曷震动万民以迁，肆上帝将复我高祖[14]之德，乱越[15]我家。朕及笃敬[16]，恭承民命，用永地于新邑。肆予冲人[17]，非废厥谋，吊由灵各[18]。非敢违卜，用宏兹贲[19]。

“呜呼！邦伯、师长、百执事[20]之人，尚皆隐[21]哉。予其懋简相[22]尔，念敬我众。朕不肩好货[23]，敢恭生生[24]。鞠人谋人之保[25]居，叙钦[26]。今我既羞告尔于朕志若否[27]，罔有弗钦！无总[28]于货宝，生生自庸[29]。式敷民德[30]，永肩[31]一心。”

【注释】

①奠：定，安定。

②乃：就，于是。绥：告诉。爰：于。

③戏：游戏。怠：懒惰。

④懋：勉力，努力。大命：指重新建家园。

⑤敷：布，开诚布公。心腹肾肠：指心里话。

⑥历告：尽情相告。

⑦协比：串通，协同一致。

⑧多：通“侈”，大。前功：前人的功劳。

⑨适于山：迁往山地。适，往，迁往。

⑩用：因此。降：减少。

⑪德：升。

⑫荡析：离散。

⑬极：止，至。

⑭肆：今，现在。高祖：指成汤。

⑮乱：治，治理。越：于。

⑯及：与“汲”的意义相似，意为急迫。笃敬：指恭敬地对待天命。笃，厚。

⑰肆：故，因此。冲人：年幼的人。

⑱吊：善，指迁都善事。灵各：灵格，专门负责占卜的人，据说可传达上天的命令。

⑲宏：弘扬。贲：大宝龟，用于占卜。

⑳邦伯：邦国之长，指诸侯。师长：公卿大臣。百执事：负责具体事务的众位官员。

㉑尚：希望。隐：度，考虑。

㉒简相：视察，考察。

㉓肩：任用。好货：指喜好财货的官员。

㉔恭：举用。生生：营生。

㉕鞠：抚养。保：安。

㉖叙：次序。钦：敬重。

㉗羞：进，提供。若：顺，赞成。否：反对。

㉘总：聚敛。

㉙庸：功劳。

㉚式：用。敷：施。德：恩德。

㉛肩：克，能够。

【译文】

盘庚迁到新都之后，安顿好臣民的居住地，辨正宗庙朝廷的方位，之后告诉大家说："你们不要懈怠，不要玩乐，要努力完成重建家园的大事业。现在我要披肝沥胆，将我的志向告诉你们。我不会惩罚你们，你们也不要心怀不满，互相勾结在一起诽谤我。

"从前我们的先王，其功绩远远超过前人，他将百姓迁到山地，免去了一场灾难，因此得到上天的嘉美，使我们成就了伟大的功绩。现在，我们的臣民由于水灾的关系而流离失所，不可以安居乐业。你们责问我为什么要兴师动众地让无数臣民迁到远处去。这是因为上天将要恢复我成汤的大业，治理我们的国家。我当然要急迫地、恭谨地根据上天的意见拯救臣民，好让我们的臣民可以在新邑永远生活下去。现在，年轻的我，并不是不听从你们的意见，迁都的确是上天通过深知天命的人传达下来的。因此迁都新邑不但没有违背卜兆，反而正是大大彰露卜兆的灵异！

“啊！各位诸侯、大臣、官员，希望你们认真考虑。我将要考察你们，看看你们是不是尊重和照顾民众。我不任用那些贪财聚货的人，而任用努力为臣民生财致富的人，凡能养育百姓并能想办法使臣民安于所居的人，我都按照他们的贡献大小而依次尊敬他们。现在我将自己主张什么、反对什么都告诉你们，就是希望你们顺从。不要贪婪地聚敛财货，去努力经营臣民的幸福吧！广布德教，同心同德建立家园！”

【解读】

此篇是盘庚在迁都之后，对群臣的训话，体现了盘庚的“保民”思想。言语中，他无时无刻不在告诫群臣要克勤克俭，不要贪婪聚财，不要懒惰；要体恤民情，恭谨从政，率领臣民共建家园。当然，盘庚身为一国领袖，更是成为众人效仿的对象。所以，他自己要做的就是迫切而恭敬地遵从天意拯救臣民，不违背上天的旨意，让百姓安居乐业，让国家日渐壮大。

可以说，自古以来，民众都是建立国家的根本，过去时常将民众比作水，将统治者比作浮在水上的舟船。这种比喻甚是妥当，因为水可载舟亦可覆舟。不过，水是无形且任意流动的，要让水得到规范，就要进行引导和疏通。谁来疏通和引导呢？当然是统治者。此外，舟总是在水上行驶，在上层；水在舟下推，为上层服务。这种上层与下层、舟与水、引导者和被引导者的人为的、武断的划分，让人们逐渐走进误区，所以才产生了“民可使由之，不可使知之”的观点。毕竟，如果民众都变聪明了，统治者要想坐稳他的位置，就更加困难了。

不过，“保民”思想在强大的社会传统势力的制约之中，并非一无是处。为民众着想，为民众造福，客观地说，这种思想在当时的社会历史条件下的确能够让百姓的生活舒适一点。

## 太甲

【原文】

惟嗣王不惠于阿衡[①]，伊尹作书曰：“先王顾諟[②]天之明命，以承上下神祇，社稷宗庙，罔不祇肃。天监厥德，用集大命，抚绥[③]万方。惟尹躬克，左右厥辟[④]，宅师[⑤]，肆嗣王丕承基绪[⑥]。惟尹躬先见于西邑夏[⑦]，自周[⑧]有终，相亦惟终；其后嗣王[⑨]，罔克有终，相亦罔终。嗣王[⑩]戒哉！祗尔厥辟，辟不辟，忝[⑪]厥祖。”

王惟庸罔[⑫]念闻。伊尹乃言曰：“先王昧爽丕显[⑬]，坐以待旦[⑭]。旁求俊彦[⑮]，启迪[⑯]后人。无越厥命以自覆。慎乃俭德，惟怀永图[⑰]。若虞机[⑱]张，往省括于度则释[⑲]。钦厥止[⑳]，率乃祖攸[㉑]行。惟朕以怿[㉒]，万世有辞[㉓]。”

王未克[㉔]变。伊尹曰：“兹乃不义，习与性[㉕]成。予弗狎于弗顺[㉖]，营于桐宫[㉗]，密迩[㉘]先王其训，无俾世[㉙]迷。”王徂[㉚]桐宫居忧，克终允德。

【注释】

①惟：思，考虑。惠：顺，顺从。阿衡：指伊尹。伊尹功勋卓著，尊称为“阿衡”。一说，商官名或谓伊尹之号。

②顾：瞻望，注视。諟（shì）：同“是”，此。

③抚绥：安定。

④惟：发语词，用于句首。尹：伊尹自指。躬：自身，亲自。左右：相帮，相助。厥：其。辟：君主，此指成汤。

⑤宅：安定。师：众，指百姓。

⑥肆：故，因此。丕：大。基绪：犹言基业，指国家政权。

⑦西邑夏：指夏王朝。

⑧周：忠信。

⑨后嗣王：指如桀一类的夏王。

⑩嗣王：此指太甲。

⑪忝：辱，有愧于。

⑫庸：平常。罔：不。

⑬昧爽：天快亮的时候。丕显：大明，谓大明其德。

⑭旦：早晨。

⑮旁求：广泛地访求。俊彦：才智过人之人。

⑯启迪：开导，启发。

⑰永图：深谋远虑。

⑱若：如同。虞：虞人，古时掌管山泽苑囿之官。机：指发射箭弩的机关。

⑲省（xǐng）：察看，检查。释：放。

⑳钦：严肃恭谨。止：仪态举止。

㉑率：循，遵循。攸：所。

㉒以：因。怿（yì）：喜悦。

㉓辞：谓赞美之词。

㉔未克：不能。

㉕习：习惯。性：性情，品性。

㉖弗：不。狎：亲近。弗顺：谓不遵顺义理。

㉗桐宫：离宫，地处商汤墓地的旁边，在今河南偃师附近。

㉘密迩：亲近，谓亲近成汤之墓。

㉙无：不。俾：使。世：一世，一辈子。

㉚徂（cú）：往。

【译文】

考虑到继承王位的太甲，不听从伊尹的劝告，伊尹便上书说："先王经常注视上天英明的命令，敬奉天上与地下的神灵，对社稷宗庙无不严肃恭敬。上天看到了他的品德，因而将大命放在他的身上，让他治理安定四方。我能亲身追随在君主左右帮助他建功立业，使百姓各得其所，因此，你才能继承这伟大的基业。我首先亲眼看到那夏国，君主能够保持忠信因而善终，大臣们也就能够保持忠信因而善终；他们后继的国王不能够保持忠信也就不能善终，大臣也就不能够保持忠信而善终。王啊！你一定要警惕啊！恭敬地对待你的君位，君主不像君主，就会辱及你的祖先。"

太甲依然和往常一样，并没有将这些话放在心上。于是，伊尹说："先王在天未亮时，就会考虑怎么样光大德行，坐在那里直到天明。广泛地访求贤能之人，以教导后人。你不要超越你的权位而自取灭亡。你要保持节俭的品德，要有深谋远虑。就好像管理山泽的虞人把机关打开了，还得观察是否符合法度才能施放箭弩。端正你的态度，遵循你祖先的行为准则。如此，我会为你感到高兴，就连后代也会赞美你的。"

太甲依然我行我素，伊尹于是说："这是一种不义的行为，而现在你的习惯与品性已经养成。我不会亲近你这个不遵循义理的人，我在桐地营造一所宫殿，让你守护在先王身边，让你在那里聆听先王的教诲，不让你一辈子迷失于歧路。"太甲于是前往桐地的宫殿，住在那里，穿着治丧的礼服，终于能够听信德教。

【解读】

据《孔传》载："太甲既立，不明，伊尹放诸桐。三年复归于亳，思庸，伊尹作《太甲》。”本篇可划分为三段：第一段，开篇为史官所写，下面则是训诰的正文。在这里，伊尹将自己追随成汤建立王朝的感受，总结为两点：一是“祇肃”即严肃恭敬，二是“周”，即忠信。这两点不仅是创业之根本，亦是守业之根本。其寓意之深远，很值得体味。第二段，虽然太甲并未将伊尹的话听进去，但是伊尹依旧耐心地劝诫太甲要继承先王的优良传统，保持俭德，深谋远虑并以“若虞机张，往省括于度则释”为喻，要求太甲遵守法度和先祖的行为准则。如果这样做的话，不但伊尹自己会感到欢喜，而且太甲也可作为贤明的君主名传千古。如此反复强调，可谓用心良苦。第三段，为伊尹的训辞。在这段训辞中，伊尹强调若太甲行为不义，就会将他放之于桐，以便在祖先坟墓旁反省自新，不致一辈子浑浑噩噩，迷途不返。

【原文】

惟三祀十有二月朔[1]，伊尹以冕服奉[2]嗣王归于亳。

作书曰：“民非后[3]，罔克胥匡[4]以生；后非民，罔以辟[5]四方。皇天眷佑[6]有商，俾嗣王克终厥德，实万世无疆之休[7]。”王拜手稽首曰：“予小子不明于德，自厎不类[8]。欲败度，纵败礼，以速戾于厥躬[9]。天作孽，犹可违；自作孽，不可逭[10]。既往背师保[11]之训，弗克于厥初[12]，尚赖[13]匡救之德，图惟厥终。”

伊尹拜手稽首曰：“修厥身，允德协[14]于下，惟明后[15]。先王子惠[16]困穷，民服厥命，罔有不悦。并其有邦厥邻，乃曰：‘徯[17]我后，后来无罚[18]。’王懋[19]乃德，视乃厥祖，无时豫怠[20]。奉先思孝，接下[21]思恭。视远惟明，听德惟聪。朕承王之休无斁[22]。”

【注释】

①三祀：殷商称年为祀，三祀，指太甲继位的第三年。朔：阴历每月初一。

②冕服：天子所穿戴的礼帽、礼服。奉：进献。

③后：指君主。

④罔克：不能。胥：相，互相。匡：帮助，扶持。

⑤辟：治理。

⑥眷佑：爱护帮助。

⑦休：美，美事。

⑧厎：止，到。不类：不善。

⑨戾：罪。躬：自身。

⑩逭（huàn）：逃避。

⑪师保：古时负责教导贵族子弟的官职，有“师”，有“保”，统称“师保”。此处指伊尹。

⑫弗克：不能。初：谓继位之初。

⑬尚：还，犹。赖：依。

⑭允德：诚心诚意的实德。协：和谐。

⑮明后：英明的君主。

⑯子惠：蔡沈《书集传》：“困穷之民，若己子而惠爱之。惠之若子，则心之爱者诚矣。未有诚而不动者也，故民服其命。”

⑰徯：等待。

⑱后：君主，此指成汤。罚：谓夏桀时刑罚之痛。

⑲懋：勉力，努力。

⑳豫怠：安逸怠惰。

㉑接下：谓对待臣下。

㉒休：美善，福禄。斁（yì）：厌弃。

【译文】

太甲继位第三年，十二月初一，伊尹将礼帽、礼服进献给太甲，并迎接太甲将回到亳。

伊尹上书说："百姓没有了君主就不能够相互扶持生活；君主离开了百姓就不能治理四方。伟大的天帝爱护帮助我商国，终于让王培养出良好的品德，这真是千秋万代的美事。"

王行拜手礼，又行叩首礼，说："我不知道什么是德，所以才会误入歧途。私欲败坏法度，放纵败坏礼仪，所以迅速招致罪责。上天造成的罪孽尚且可以躲避，若是自己作孽，就不能够逃避了。过去我违背了老师的教训，没有在起初就开个好头，依靠着老师的匡正和补救的恩德，才得到良好的结果。"

伊尹行拜手礼，又行叩首礼，说："提高自身修养，具备实在的美德，让臣下和谐，这就是英明君主的作为。先王爱护贫苦的人，百姓于是听从他的命令，没有因此而不高兴的。甚至那邻国百姓也拥戴他，便说：'等待我们的君主汤吧，君主汤来了，我们的痛苦就结束了。'王想要培养自身的美德，不妨看一看祖先的作为，以让自己不再在安逸的生活中沦陷。遵奉先王的遗训就是孝顺，对待臣下不傲慢就是谦恭。能够看得远，便是明智；能够听从德教，便是聪敏。这样，我就会承受王的好处而不会被厌弃了。"

【解读】

经过三年的反省，太甲悔过自新，伊尹于是还政太甲。此篇分为三段：

第一段，除记载还政的具体时间地点外，还记载了伊尹为还政大事所做的准备。文字简洁、扼要。

第二段，记载就还政之事进行的对答。伊尹的谈话是以书面文字的形式呈现的。伊尹首先阐述了君与民之间相互依存的关系，正是从这种关系出发，伊尹高度评价了太甲悔过自新的行为，严肃地指出"嗣王克终厥德，实万世无疆之休"，不仅言辞恳切，而且寓意深刻。太甲在回答时，也做出了深刻的检讨，而且希望伊尹可以监督自己。且为了表达这种诚心，太甲在答词之前行了“拜手稽首”的大礼。以君对臣行此大礼，由此可见太甲悔过之诚。也正是因为如此诚心，太甲才能有感而发，留下了“天作孽，犹可违；自作孽，不可逭”的千古名言。

第三段，记载了伊尹在还政仪式结束时所做的带有总结性质的谈话。在谈话前，伊尹也对太甲行了大礼。谈话中伊尹希望太甲在行政之后可以做到“修厥身”“子惠困穷”“无时豫怠”“奉先思孝，接下思恭”“视远惟明，听德惟聪”，即提高自身修养，爱护贫苦之人，不要安逸怠惰，尊奉先王遗训，对待臣下不傲慢，能够看得远，能够听从德教，如此语重心长地反复叮咛，将这位老臣的拳拳忠心表达得淋漓尽致。

【原文】

伊尹申①诰于王曰：“呜呼！惟天无亲，克敬惟亲。民罔常怀，怀于有仁。鬼神无常享，享于克诚。天位②艰哉！德惟治，否德③乱。与治同道，罔不兴；与乱同事，罔不亡。终始慎厥与，惟明明后。先王惟时懋敬厥德，克配上帝。今王嗣有令绪④，尚监⑤兹哉。若升高，必自下，若陟遐⑥，必自迩⑦。无轻民事，惟⑧难；无安厥位，惟危。慎终于始。有言逆于汝心，必求诸道；有言逊⑨于汝志，必求诸非道。呜呼！弗虑胡获？弗为胡成？一人元良⑩，万邦以贞⑪。君罔以辩言乱旧政⑫，臣罔以宠利居成功，邦其永孚于休⑬。”

【注释】

①申：重复，一再。

②天位：指上天赐予的君主之位。

③否德：不行德政。否，不。德，指德政。

④令绪：美好的传统。令，美。

⑤监：通“鉴”，借鉴。

⑥陟：远行，长途跋涉。遐：远。

⑦迩：近。

⑧惟：思，想到。

⑨逊：顺。

⑩元良：大善，大贤。谓德行达到最高程度。

⑪贞：通“正”。

⑫旧政：谓先王成汤的理政之法。

⑬孚：信。休：美好。

【译文】

伊尹再三告诫太甲说：“唉！上天从不偏爱谁，但只要恭敬做事，上天就会爱护。百姓不会永远爱戴谁，只要君主推行德政，百姓就会爱戴他。鬼神不会固定要享受谁的祭祀，只享受那诚实无欺之人的祭祀。保住上天赐予的天命，是很困难的。只有推行德政，天下才会大治；不推行德政，天下就会大乱。与治世之君走相同的道路，国家就会兴盛；与乱世之君行事相同，国家就会灭亡。开始和结束都恭恭敬敬，就是圣明的君主。先王是那样努力而恭谨地培养他的品德，基本上可以与上天的要求相符合。如今，王啊！你有了良好的传统，要时时刻刻参照传统做事！譬如登高，一定要从下面开始；譬如行远，一定要从近处开始。对于百姓的要求不可轻视，要知道治理百姓是很困难的；不可安逸，要知道你的权位是不稳的。谨慎对待结尾，要像对待开始那般。唉！不思考怎么会有收获？不努力如何成功？君主非常贤良，诸侯国都会尊敬你。君主不以能言善辩而搞乱了先王成汤的理政之法；臣下不以君主的宠信而在获得成功之后，仍以安居官位为利，如此一来，我相信国家会永远美好下去。

有人说话违背了你的心愿，一定要认真思考他的话是不是正确的；有人说话顺从了你的心愿，一定要思考他的话是不是合理的。”

【解读】

本篇可以分为两个部分，第一部分又可分为两层，层层递进，紧密关联。其中，第一层的主要内容是：恭敬行事的统治者才会受到上天的偏爱，推行仁德的君主才会得到百姓的感谢，诚实无欺之人才会享受鬼神的祭祀。如此看来，这段用三个字即可概括，即“敬”“仁”“诚”。这三个字以“仁”为主，“敬”“诚”均是针对“仁”来说的，也就是说统治者在推行“仁”时，务必要做到“敬”与“诚”。在伊尹眼中，这三点也是天、民、鬼神的期望所在。因为天与鬼神的意愿均是通过“民”表达出来的。只有怀着“敬”与“诚”去推行“仁”才能获得天的“亲”、民的“怀”、鬼神的“享”，从而保住“天位”。第二层的主要内容是：只有推行德政，天下才能大治；不去推行德政，天下就会大乱。在这一层中，伊尹首先提出了“德”，紧承上文，可将“德”视为对“敬”“仁”“诚”的总称。之后又指出其重要性：与治世之君走相同的道路，没有不兴盛的；与乱世之君行事相同，没有不灭亡的。以此来告诫太甲要做一个圣明的君主，谨慎地推行德政。

第二部分可分为三层，这三层分别提出三点注意事项。第一点以登高行远为喻，告诫太甲要“无轻民事”“慎终于始”，要懂得居安思危。第二点对人们的言行进行了具体分析，以“道”作为辨别其是非的标准。第三点分别对君、臣做出要求，要求君主做到“元良”“罔以辩言乱旧政”；臣下要做到“罔以宠利居成功”，如此一来，就可以“邦其永孚于休”，国家也将永远美好下去。第三层在写法上也值得注意，先以设问句开头，犹如警钟之鸣，之后作答，婉曲有致，耐人寻味！

## 说命

【原文】

王宅忧①，亮阴三祀②。既免丧，其惟弗言③。群臣咸谏④于王曰："呜呼！知之曰明哲⑤，明哲实作则⑥。天子惟君万邦，百官承式⑦。王言惟作命，不言，臣下罔攸禀令⑧。"

王庸⑨作书以诰曰："以台正⑩于四方，台恐德弗类⑪，兹故弗言。恭默思道，梦帝赉予良弼⑫，其代予言。"乃审厥象⑬，俾以形旁求于天下。说筑傅岩⑭之野，惟肖⑮。爰⑯立作相，王置诸其左右。

命⑰之曰："朝夕纳诲⑱，以辅台德。若金，用汝作砺⑲；若济巨川⑳，用汝作舟楫；若岁大旱，用汝作霖雨㉑。启乃心，沃㉒朕心。若药弗瞑眩㉓，厥疾弗瘳㉔；若跣㉕弗视地，厥足用伤。惟暨乃僚，罔不同心，以匡乃辟㉖，俾率㉗先王，迪我高后㉘，以康兆民㉙。呜呼！钦予时命㉚，其惟有终㉛。"

说复㉜于王曰："惟木从绳㉝则正，后㉞从谏则圣。后克㉟圣，臣不命其承㊱，畴敢不祗若王之休命㊲？"

【注释】

①宅忧：指居守父丧。宅，居。

②三祀：三年。

③其：指武丁。弗言：不说话。

④咸：都。谏：规劝。

⑤知之：此处谓通晓国家政务。明哲：圣明睿智。

⑥作则：谓制定法规。

⑦承式：指按照法规行事。

⑧罔攸禀令：无法按照法规行事。

⑨庸：于是。

⑩台（yí）：我。正：表率。

⑪弗类：不似，谓不似先王德行之高。

⑫赉：赐予。良弼：贤能的助手。

⑬审厥象：《孔传》："审所梦之人，刻其形象。"审，仔细，此处指仔细回忆梦中之人的形象。

⑭说（yuè）：人名。即傅说。傅岩：地名。在今山西平陆与河南陕州之间的三门峡附近。

⑮肖：相似。

⑯爰：于是。

⑰命：辞命，文告。

⑱诲：教导。

⑲砺：磨刀石。

⑳济：渡过。巨川：大河。

㉑霖雨：连绵的大雨。

㉒沃：灌溉，滋润。

㉓瞑眩：形容药性发作时心中难以忍受的感觉。

㉔瘳（chōu）：病愈。

㉕跣（xiǎn）：赤足。

㉖匡：纠正，帮助。乃：你的。辟：君主。

㉗俾：使。率：遵循。

㉘迪：依照。高后：先祖。

㉙康：安，乐，谓安居乐业。兆民：众民。兆，极言其多。

㉚钦：敬。时：通“是”。命：命辞。

㉛有终：谓好的结果。

㉜说：傅说自指。复：回复，回答。

㉝绳：绳墨，木匠用以取直的工具。

㉞后：君主。

㉟克：能。

㊱臣不命其承：《孔传》曰：“君能受谏，则臣不待君命，其承而谏之。”

㊲畴：谁。衹：敬。若：顺从。休命：美善的命令。美善可引申为英明。

【译文】

殷高宗武丁居其父小乙之丧，三年都没有开口说话。丧期已满，他依旧不说话。于是众大臣纷纷向王进谏说：“唉！通晓国家政务叫作圣明睿智之人，只有圣明之人才会制定法规。天子是天下民众的君主，百官都需要按照天子的命令行事。天子不说话，臣子就不知道该做什么了。”

王因而写下文告，用以告诫百官说：“将我作为四方百姓的准则，只担心我的德行还没有达到先王的高度，所以我才不敢说话。我恭敬沉默地在思考治国之道，梦到上天赐予我一个贤能的臣子，让他代替我说话。”王仔细地回忆梦中之人的形象，将他的形象画在纸上，在四方广泛地寻求。终于发现，在傅岩这块地方从事版筑工作的一个人与画像上的人很相似。于是将此人立为相，将他安置在自己左右。这个人就是傅说。

文告说：“早晨和晚上都要对我进行教导，帮助我提升品德。如果是金属，要用你作磨金属的砺石；如果要渡河，要用你作船只；如果年岁大旱，要用你作滋润禾苗的甘雨。打开你的思想，培养我的智力。如果你吃了药不感到难受，那么这个疾病是治不好的；如果你赤着脚，不看路面走路，你的脚就会受伤。你和你的同僚，无不同心同德来匡正你的君主，从而使他遵循先王的道路，按照先祖的治国方法治理国家，使亿万百姓得以安居乐业。啊！恭敬地对待我的文告，希望我们的事业便会有好的结果。”

傅说回答王说：“木料只有按照绳墨才能取正，君主只有从谏如流，才算得上明智。君王能够圣明，官吏不等君主表示，就可以根据君主的心愿提出谏正，谁敢不恭敬地顺从王英明的命令？”

【解读】

《孔传》为本篇作《序》：“高宗梦得说，使百工营求诸野，得诸傅岩，作《说俞》三篇。”此外，《史记·殷本纪》亦作《序》：“帝小乙崩，子帝武丁立。帝武丁即位，思复兴殷，而未得其佐。三年不言，政事决定于冢宰，以观国风。武丁夜梦得圣人，名曰说。以梦所见视群臣百吏，皆非也。于是乃使百工营求之野，得说于傅险中。是时说为胥靡，筑于傅险。见于武丁，武丁曰是也。得而与之语，果圣人，举以为相，殷国大治。故遂以傅险姓之，号曰傅说。”

这部分分为四段：

第一段，是史官所写，之后是群臣进谏之词。谏词旨在要求王于“免丧”之后开口发布命令，因为这是圣明睿智之人之举，否则臣子便不知道如何行事。

第二段，是王的答词。在答词中王指出自己“弗言”的原因，即为“以台正于四方，惟恐德弗类”。所以只能在“恭默思道”中，“梦帝赉予良弼，其代予言”。于是将梦中之人的形象，绘成肖像，在四方广泛地寻求。终于在傅岩这块地方找到了相似的人，这个人就是傅说。

傅说归朝即为相，武丁将其安置于自己左右，让傅说代自己说话。

第三段，是武丁的文告。这段文告连用三个比喻，将求贤若渴、求诲若渴、求治若渴，以及对傅说倚重的心情，表达得酣畅淋漓！虽然历经千年之久，但阅读之时依然令人激情澎湃、感动不已。尤其值得注意的是这一切均是立足于“以康兆民”之上，不得不令人深思。

第四段，为傅说的答词。答词言简意赅，没有庸俗的客套，虽不具深沉的内涵，却同样令人沉思。

【原文】

惟说命总①百官，乃进于王曰：“呜呼！明王奉若②天道，建邦设都③，树后王君公④。承以大夫师长⑤，不惟逸豫⑥，惟以乱⑦民。惟天聪明，惟圣时宪⑧，惟臣钦若⑨，惟民从乂⑩。惟口起羞⑪，惟甲胄起戎⑫，惟衣裳在笥⑬，惟干戈省厥躬⑭。王惟戒兹⑮，允兹克⑯明，乃罔不休⑰。惟治乱在庶⑱官。官不及私昵⑲，惟其能；爵罔及恶德⑳，惟其贤。虑善㉑以动，动惟厥时。有其善㉒，丧厥善；矜㉓其能，丧厥功。惟事事㉔，乃其有备，有备无患。无启宠纳侮㉕，无耻过㉖作非。惟厥攸居，政事惟醇㉗。黩㉘予祭祀，时谓弗钦㉙。礼烦则乱，事神则难。”

王曰：“旨㉚哉！说，乃言惟服㉛。乃不良于言，予罔㉜闻于行。”说拜稽首曰：“非知之艰，行之惟艰。王忱㉝不艰，允协㉞于先王成德，惟说不言有厥咎㉟。”

【注释】

①说：傅说。总：统率。

②奉若：承受，遵从。

③建邦：指在天下设立国家。设都：指设立都城。

④树：设立。后王：指天子。君公：指诸侯国的国君。

⑤承：通“丞”，辅佐。大夫师长：指各级官吏。

⑥逸豫：安逸享乐。

⑦乱：治理。

⑧时：通“是”，这。宪：法。

⑨钦若：恭敬地遵循。

⑩乂：治理。

⑪口：指从口中说出的话。起：引发。羞：耻辱。

⑫甲胄：古时士兵的铠甲和头盔。戎：兵戎，指战祸。

⑬衣裳：指标示官吏等级的服装。笥（sì）：盛放食品衣物的竹器。

⑭省：明白。厥：其，此处指武丁。躬：自身，也指武丁。

⑮兹：此，这。

⑯允：信。克：能。

⑰罔：无。休：美好。

⑱庶：众。

⑲私昵：与个人关系亲近的人。

⑳爵：官位爵禄。恶德：无德之人。

㉑虑善：思虑成熟。

㉒有其善：指自满其善而不思更善。

㉓矜：自夸。

㉔事事：每一件事。

㉕启宠纳侮：孔颖达疏：“无得开小人以宠，自纳此轻侮也。”

㉖耻过：羞于承认错误。

㉗醇：通“纯”，纯正，不杂乱。

㉘黩：轻慢不敬。

㉙时：通“是”。弗钦：不敬。

㉚旨：美好。

㉛乃：你。服：实行。

㉜罔：无。

㉝忱：诚信。

㉞允：信。协：与……相合。

㉟咎：过失。

【译文】

傅说接受命令统领百官，向王进谏说："唉！英明的王啊！你尊奉顺从天道，建立国家，设置国都，立天子、封诸侯。大夫官吏等职位辅佐统率百姓秉承天子的意旨行事，并不是为了让天子安逸，而是为了治理百姓。只有上天是聪慧的，只有明君才会制定这样的法规，臣吏们恭敬地顺从这些法规，百姓才会因治理而安居乐业。言论会招致耻辱，兵甲会导致战祸，礼服用于赏赐，干戈用于讨伐，对于赏罚你一定要想明白啊。王啊！你一定要严肃而认真地对待这些事情，如果你这样做了，那么就可以达到圣明，国家也就美好了。大治还是大乱，在于百官的好坏。对于官吏，不是任用那些与自己过于亲近的人，而是那些贤能之士；爵位不是赏赐给那些不良无德之人，而要任用那些有德有才之人。措施一定要考虑成熟才能够付诸行动，当然，行动也要符合时宜。自己满足于已有的好品德，那你就会在无形之中丧失这种品德；自己夸耀自己的能力，那你就会在无形之中丧失建功立业的成就。做每件事情，都要有所准备，因为有了准备之后就不会发生祸患。不要宠信小人而招致轻侮，不要羞于认错而文过饰非，以致铸成大错。你要居于正道，政务才能纯正不杂。按照私欲举行祭祀，这就叫作不恭敬。祭祀礼仪过于烦琐，就会紊乱，这样去礼拜神灵，就难以达到目的了。"

王说："好啊！傅说，你所说的这一切都是能够实行的。如果你不能够说出这些美好的话，那我就没有办法听到并付诸行动了。"傅说行跪拜之礼，说："懂得这些道理并不是难事，困难的是付诸行动。王只要相信这些道理就不会感到艰难了，相信这些话是符合先王的美德的，如果我不将这些道理说出来，就是我的过失了。”

【解读】

这部分主要讲述的是傅说对武丁的进言。其内容可分为两个部分：第一部分，进言的内容很深刻，亦十分重要。其重要的原因有三：第一，明确君、臣、民三者之间的关系。这种关系就是君臣是统治者，而民属于被统治者。统治与被统治存在明显的不同，其目的是为百姓谋求安康。本着这个目的，王必须是圣明的君主。这个“圣明的君主”的职责就是恭敬地按照“天道”设立诸侯国及其国君以及各级各类的官吏，并且制定出正确的历法。第二，整肃吏治。“惟治乱在庶官”，由此可见，吏治与治乱密切相关，所以在整顿时要尤其严明。方法是“官不及私昵，惟其能；爵罔及恶德，惟其贤”。第三，对天子、诸侯国君、各级各类官吏提出要求与希望。尤其是对天子的要求，天子一定要做到赏罚分明，法规的制定要圣明。总的来说，就是要求天子不可贪图享受，不可骄傲自满，不可亲小人远贤臣，每件事都要考虑周全，做到“有备无患”。这三个要点总体来说，便是为君立政之道。

第二部分，则是武丁与傅说以对话的形式分别对上述为君立政之道说出自己的看法。武丁由衷地赞美说：好啊！傅说，你所说的这些话都是可行的，如果你不能说出这些美好的言语，那么我就没有办法听到并付诸实施了，推崇之意，溢于言表。傅说则直言他说的这些话都是“协于先王成德”，并直言“非知之艰，行之惟艰”。坦诚之至，知道容易，落实起来难啊！

【原文】

王曰："来！汝说。台小子旧学于甘盘[1]，既乃遁于荒野，入宅于河[2]。自河徂亳[3]，暨[4]厥终罔显。尔惟训于朕志[5]，若作酒醴[6]，尔惟麴糵[7]；若作和羹[8]，尔惟盐梅[9]。尔交修[10]予，罔予弃，予惟克迈乃训[11]。"

说曰："王，人求多闻，时惟[12]建事，学于古训乃有获。事不师古[13]，以克永世，匪说攸[14]闻。惟学，逊志务时敏[15]，厥修乃来。允怀于兹[16]，道积于厥躬[17]。惟敩[18]学半，念终始典于学，厥德修罔觉。监于先王成宪[19]，其永无愆[20]。惟说式克钦[21]承，旁招俊乂[22]，列于庶位。"

王曰："呜呼！说，四海之内，咸仰朕德，时乃风[23]。股肱[24]惟人，良臣惟圣。昔先正保衡[25]作我先王，乃曰：'予弗克俾厥后惟[26]尧舜，其心愧耻，若挞于市[27]。'一夫不获，则曰'时予之辜'[28]。佑我烈祖，格于皇[29]天。尔尚明[30]保予，罔俾阿衡专美[31]有商。惟后非贤不乂[32]，惟贤非后不食[33]。其尔克绍乃辟[34]于先王，永绥[35]民。"

说拜稽首曰："敢对扬天子之休命。"

【注释】

①台（yí）小子：我小子。武丁自称。台，我。旧：以往，从前。甘盘：人名。

②宅：居。河：孔颖达以为当指河洲。

③徂：往。亳：地名，殷的国都。

④暨：至，到。

⑤训：训导，教导。志：心意，愿望。

⑥醴（lǐ）：甜酒。

⑦麴糵（qū niè）：酒曲，酿酒的发酵物。

⑧和羹：使用适当的调料，调和成味道适宜的羹汤。

⑨盐梅：制作羹汤的调料。盐，味咸。梅，醋，味酸。

⑩交修：多方面培养。交，《孔传》曰：“非一之义。”修，培养。

⑪克：能。迈：行，做。训：教导。

⑫时：通“是”。惟：希望，愿望。

⑬师古：效法古人。

⑭匪：同“非”。攸：所。

⑮逊志：虚心谦逊。时敏：时时努力。敏，努力。

⑯允：信。怀：怀藏，时刻想着。兹：此，这。

⑰厥躬：自身。

⑱敩（xiào）：教。

⑲监：借鉴。成宪：成法。

⑳愆：过错。

㉑钦：敬。

㉒旁：广泛。招：招揽。俊乂：杰出人才。

㉓时：通“是”。乃：你，指傅说。风：谓教化。

㉔股肱：大腿和手臂。

㉕先正：先代总领百官之臣。保衡：亦称“阿衡”，谓天下所取安，所取平。指伊尹而言。如此称谓含有对伊尹的功劳及作用的崇高评价。

㉖弗克：不能。俾：使。厥：其，指伊尹。后：君，指成汤。惟：为，是。

㉗挞于市：形容耻辱之甚。挞，用鞭子或棍子打。

㉘一夫：一个寻常百姓。辜：罪过。

㉙格：至，及。皇：大。

㉚尚：佑助。明：通“勉”，努力，尽力。

㉛专美：谓独享美名。

㉜乂：治。

㉝不食：谓不被重用。

㉞绍：继承。乃：你。辟：君主。

㉟绥：安。

【译文】

王说："来吧，你这傅说呀！我之前曾经向甘盘这位贤臣学习过，但没过多久我就出巡至荒野，居住在河洲，后来又从河洲来到亳都，经过几次，我的学业还是没有什么长进。你对我的教导，满足了我求知的愿望，就好比甜酒，你就是那酒曲；又好比做五味调和的羹汤，你就是那盐和醋。你一定要多多培养我，不要抛弃我，我也一定会按照你教导的去执行。"

傅说说："王啊！人们增长知识的目的，是成就事业。学习古人的遗训，才能够真的有所收获。成就事业却不效仿古人的做法，而可以让事业兴旺发达，对于这个说法，我傅说没有听过。学习态度要谦逊，且需时时努力，如此学习就会进步。相信并记住这些，知识就会在自己的身上不断累积。教人所获是学习所得的一半，始终专心于学习，品德就会在无形之中趋于完美。我傅说因此能敬奉你的意旨，广泛招揽贤能之人，把他们安排在各种恰当的职位上。"

王说："啊！傅说，天下的人都很敬仰我的品德，而这都是源于你的教化。手足齐全就是成人，有良臣辅佐才能够成为圣君。从前先贤伊尹让我的先王兴起，他曾经这样说过：'我如果不能使我的君主成为尧、舜那样的圣君，我的内心就会充满愧疚。'只要有一个人未得其所，他就会说'这是我的罪过'。他辅助我的烈祖成汤，他的功绩如天般伟大，没有谁可以超越。你要努力辅佐我，不要让伊尹在商国独享这一美誉。君主没有贤人辅助，就不能将国家治理好；贤人没有圣君赏识，就不会得到器重。希望你能让你的君主继承先王的传统，让百姓安乐。"

傅说跪拜叩头，说："请让我报答并将天子的美德宣扬出去吧！"

【解读】

第一部分，是武丁的谈话。在这一段谈话中，武丁首先回顾自身的经历，“学于甘盘”“遁于荒野”。可是，武丁对于自己的这一段经历并不很满意，认为在学业上并不存在明显的进步。接着连用两个比喻：做酒醴的关键是“麴糵”；做和羹的关键是“盐梅”，而且用十分坚定的口吻说：“尔惟麴糵”“尔惟盐梅”。“尔”，所指的便是傅说。由此可见，在武丁的心目中傅说是怎样重要的人物啊！就是因为这样，武丁才恳切地要求傅说，希望可以对自己进行多方面的培养，不抛弃自己。并坦诚地表示，自己一定会按照他的要求做事。一代帝王在自己的臣子面前，如此虚心求教，态度又是那样的诚恳，不愧为有殷一代的名君。如此修养，如此境界，加以“伟大”二字，亦不为过！

第二部分，是傅说的答词。这一段答词的要点有三：第一，学习古人的经验。其重要性在于不这样就无法成就大业。第二，学习态度要虚心专心。因为只有这样，知识才会不断累积，品德才会日臻完美。第三，广泛招揽贤能之人，并将他们安排在各种恰当的职位上。这三点是君主治国的重要因素。

第三部分，是武丁的谈话。在这一段谈话中，武丁谈到了伊尹的言论和事迹，要求傅说具有如伊尹一般的胸怀，并且如伊尹辅佐成汤那般辅佐自己，帮助自己成就一番大事业。傅说十分爽快地答应了这个要求。这说明武丁以成汤自期而傅说亦以伊尹自任。这又是一对君臣相知相遇的典型。

# 高宗肜日

【原文】

高宗肜日[①]，越有雊[②]雉。祖己曰："惟先格王[③]，正厥事。"乃训于王，曰："惟天监[④]下民，典厥义[⑤]。降年有永有不永，非天夭民，民中绝命。民有不若[⑥]德，不听[⑦]罪，天既孚[⑧]命正厥德，乃曰其如台[⑨]。呜呼！王司敬民[⑩]，罔非天胤[⑪]，典祀无丰于昵[⑫]。"

【注释】

①肜（róng）日：肜祭之日。肜，祭祀名，在祭祀第二天再次祭祀。

②越：于。雊（gòu）：雉鸣。古人以为是变异之兆。

③格王：指端正王的心思。格，格正，犹今语端正。

④监：视，考察。

⑤典厥义：意即考察他是否按照道理行事。典，主。义，按照道理行事曰义。

⑥若：顺。

⑦听：服。

⑧孚：罚。

⑨如台（yí）：如何。台，何。

⑩司：作"嗣"，当从。敬民：盖指不要对人民过分盘剥。

⑪罔非天胤：意指人民也是天的后代，对人民过分盘剥便是违犯天意。天胤，天的后代。胤，后代。

⑫典：常。昵（nǐ）：通"祢"，父庙。古制，生曰父，死曰考，入庙曰昵。

【译文】

在祭祀高宗的第二天，又举行了盛大的祭祀典礼，此时鼎的耳上飞来了一只野鸡鸣叫。祖己说："要首先端正王心，然后端正祭典。"于是训诫国王，说："上天考察下民，主要看他是不是遵循义理行事。上天赐予人的寿命有长有短，并非上天故意缩短人的生命，而是臣民自己的行为不合义理招致短命的。臣民当中有不按照义理办事的，又认识不到自身的错误，所以上天就惩罚他以端正他的德行，他却说：'应该怎么办啊？'唉！王啊，您继承王位之后，要恭敬地对待上天赐给你的臣民，因为他们无一不是上天的后代，祭祀的时候，在自己的父庙中，祭品不要过于丰盛。"

【解读】

关于高宗的声望自是不必多说，在殷商历代帝王之中，或许较盘庚还要大。他是盘庚的侄子，盘庚去世之后，其弟小辛、小乙相继为王（在殷代，王位继承有兄终弟及的制度）。在此二人统治时期，殷朝的国势再一次衰落下去。小乙去世之后，其子武丁即位，即为高宗。高宗在商王朝的发展过程中，起着举足轻重的作用。

根据《尚书·无逸》中的相关记载，高宗少年时曾经行役于外，并且时常与平民在一起劳作，所以较为了解民间百姓的疾苦与种庄稼的艰难，在即位之后，才会不断实行德政。当时的统治早已腐败不堪，高宗任用奴隶出身的傅说为相，励精图治，国势大振，激烈的社会矛盾也在一定程度上得到了缓和。

国力的不断增强，也激发了高宗对外侵略的野心，按照卜辞中的相关记载，他曾大力向西北扩张势力，数次举兵攻打周边国家，一举打败了土方、鬼方等敌对国家，将势力延伸到河北、山西、陕西和内蒙古的一部分，为殷王朝的发展奠定了雄厚的经济和物质基础。武丁之后，商王朝又曾向南方发展它的势力，现在在湖南、江西等地都曾发现商代的遗址、遗物，由此可见，当时商朝的疆域已经大大扩大了，商王朝也一举成为当时世界上的文明大国之一。

这一篇文章，根据《史记》中的相关记载，是帝祖庚时祖己所作，因其文字不如《盘庚》古奥，历史学者们一度怀疑，这是东周时的作品。郭沫若先生认为文中“王司敬民，罔非天胤”的民本观念，在当时是不可能出现的。又因“卜辞中没有见到民字以及从民的字”，所以“《高宗肜日》一篇也是不可信的”。不过，这些说法仅供参考。

文章中记载的主要是祖己的言论，言论中除了提出“敬民”，还提出了所谓“义”和“德”。“义”和“德”在此可以作为同义词看待。“德”字在《盘庚》中早已被多次提及，本文中再出现“德”字，也不足为怪了。

可是，为何祖己要提出“德”并对它特别强调呢？其实，这并不难理解。在高宗统治之前，商代社会是时盛时衰的。贵族们为了让自己奢侈腐化的生活可以继续下去，残酷地剥削百姓，这种残酷剥削严重阻碍了生产的发展，必然会引起劳动人民的反抗。这样，国势也就衰落下来了。其发展趋势一定会趋于灭亡。高宗距盘庚很近，正是“殷鉴不远”，统治者中头脑比较清醒的人从这一系列残酷的斗争中，总结出一条教训，这就是“典厥义”“正厥德”。他们深刻地感受到，欲维护国家的安定团结，就一定要做到“敬民”。

# 西伯戡黎

【原文】

西伯既戡黎①，祖伊恐，奔告于王。曰："天子！天既讫②我殷命。格人元龟③，罔敢知吉。非先王不相④我后人，惟王淫戏用自绝。故天弃我，不有康食⑤。不虞天性⑥，不迪率典⑦。今我民罔弗欲丧，曰：'天曷易不降威？'大命不挚⑧，今王其如台？"

王曰："呜呼！我生不有命在天？"

祖伊反曰："呜呼！乃罪多参在上⑨，乃⑩能责命于天。殷之即丧，指乃功⑪，不无戮于尔邦⑫！"

【注释】

①西伯：指周文王。勘：战胜。黎：殷王朝的属国，在今天山西长治境内。全篇记述周文王战胜黎国之后，殷朝贤臣祖伊为殷朝安危担忧，向殷纣王进谏，规劝他改弦更张，但遭到了纣王的拒绝。

②讫：止。

③格人：能知天地吉凶的人。元龟：大龟，用于占卜的工具（周时划分卜和筮两种。卜，是以龟壳为工具，称为龟卜。筮，以蓍草为工具筮占）。

④相：帮助，辅佐。

⑤康食：安居饮食。

⑥虞：度，猜测。天性：指上天的性情。

⑦迪：由，遵循。率典：常法。率，法。典，常。

⑧大命：指天命。不挚：不再。

⑨参：到。上：指上天。

⑩乃：难道。

⑪指乃功：这句话是说从他做的事情上就可以看得出来。指，通"视"。乃，他。功，事、政事。

⑫戮：杀，消灭。尔邦：指周国。

【译文】

西伯诛灭黎国之后，祖伊感到十分害怕，赶紧将这件事情告诉了纣王，说："王啊！上天只怕是要收回殷国的大命啊！占卜的圣人用大龟来卜，始终没有遇上吉兆。这不是先王之灵不愿意保佑我们这些后人，只是因为王沉湎于酒乐之中而自绝于先王啊！所以，上天将我们抛弃了，并且降下灾荒不让我们安宁。大王不知道上天的天性，不遵守法典。现在我们的臣民没有不希望国家灭亡的，他们说：'上天为什么还不降下惩罚呢？'要知道天命是无常的啊！现在大王打算如何是好啊？"

王说："唉！我不是有从上天那里承受的天命吗？老百姓不能拿我怎么样。"

祖伊回去之后说："唉！他的过失太多了，这些上天都有所了解，怎么可以责备上天。国家马上就要灭亡了，这从他的所作所为就可以看出，怎么能够不被周国消灭呢？"

【解读】

殷纣王是中国历史上著名的暴君。殷商从高祖成汤建国开始，历经六百多年传到纣王，商汤苦心打拼下来的江山就是在纣王手中换了主人。

根据古书记载，纣王并不是个等闲之辈，从小就才思敏捷，能言善辩，而且身材魁梧。他即位之初，也曾享受过风调雨顺、国泰民安、四夷拱手、八方臣服的好风光，一度号令天下八百诸侯。但是，随着功绩的累增，他也变得骄纵起来，更是将大臣的"忠言"视为"逆耳"，慢慢地，他变得奢侈腐化、残暴不仁，为百姓带来了极大的灾难，引起了百姓的强烈反抗。这篇文字就是在如此危急的情况下写出来的。

祖伊说："现在我们的臣民没有谁不希望殷国灭亡，他们说：'上天为什么还不降下威罚呢？'"应是当时情况的真实写照。从此处我们就可以看出当时的社会矛盾尖锐到何种程度。

但是，纣王对祖伊的警告完全不放在心上，甚至认为"我生不有命在天"，自大地以为既然接受了天命成了天子就可以肆无忌惮，为所欲为。但是，祖伊并不这样认为，他认为虽然大命是上天赐予的，可若沉迷于荒诞之中就会遭到上天的遗弃失掉大命，纣王对此不以为然。

不得不说，纣王确是咎由自取，罪有应得。

## 微子

【原文】

微子①若曰："父师、少师，殷其弗或乱正四方②？我祖厎遂陈于上③。我用沉酗于酒④，用乱败厥德于下⑤。殷罔不小大，好草窃奸宄⑥，卿士师师非度⑦。凡有罪辜，乃罔恒获。小民方兴，相为敌仇⑧。今殷其沦丧，若涉大水，其无津涯。殷遂丧，越至于今！"

曰："父师、少师，我其发出狂⑨吾家，耄逊于荒⑩。今尔无指⑪告予，颠隮⑫，若之何其？"

父师若曰："王子⑬，天毒降灾荒⑭殷邦，方兴沉酗于酒，乃罔畏畏⑮，咈其耇长，旧有位人⑯。今殷民乃攘窃神祇之牺牷牲，用以容⑰，将食无灾。降监殷民，用乂仇敛⑱，召敌仇不怠⑲。罪合于一，多瘠罔诏⑳。

"商今其有灾，我兴受其败㉑。商其沦丧，我罔为臣仆㉒。诏王子出迪㉓，我旧云刻子㉔、王子弗出，我㉕乃颠济。自靖[26]！人自献于先王，我不顾行遁[27]。”

【注释】

①微子：纣王的哥哥，因为封在微，爵位属于子，所以叫微子。他为维护殷王朝的统治，曾多次规劝纣王改恶从善，但纣王充耳不闻。

②殷其弗或乱正四方：此为诘问句，句子中包含微子对于祖国即将灭亡的无限隐痛。乱，治理。

③我祖：指成汤。厎：定，致。遂：成。陈：陈列。上：表示时间，指过去。

④用：因为，由于。酗于酒：表示喝酒没有节制。酗，发酒疯。

⑤乱：淫乱。厥德：指高祖成汤之德。下：后世。

⑥罔不小大：这句话是一个倒装句，应作“大小罔不”。小大，指群臣民众，中心词省略。罔不，无不。草窃：盗贼。奸宄：犯法作乱。

⑦师师：众官。其中前一“师”作众解，后一“师”指官长。度：法度。

⑧仇：仇敌。

⑨发：行。狂：往。

⑩耄（mào）逊于荒：孙星衍说：“谓我年耄，将遁于荒远以终老。”近人曾运乾说：“云‘发出往吾家’，复云‘耄逊于荒’者，时未奉诏就国而私出，则貌为老耄阳狂而遁者。”两说均可通，译文从曾说。耄，年老。逊，逃走。荒，荒野。

⑪指：通“旨”，想法，打算。

⑫颠：最高处。济（jī）：坠落。

⑬王子：指微子启，微子系帝乙之子，故云王子。

⑭毒：厚，重。荒：亡。

⑮畏畏：惧怕天威。

⑯咈（fú）：违逆。耇（gǒu）：老年人。旧有位人：旧时在位的大臣。

⑰攘窃：盗窃。牺：纯毛牲畜。牷：健全的牲畜。牲：猪牛羊。用以容：从宽论处。

⑱乂：杀。仇：通"稠"，多。敛：聚敛。

⑲召：招致。怠：松懈，缓和。

⑳瘠：疾苦。诏：告诉。

㉑兴：起。败：灾祸。

㉒臣仆：奴隶。

㉓迪：行，逃走。

㉔旧：久。刻子：箕子。

㉕我：指殷商。

㉖自靖：各自打主意。

㉗顾：顾虑。遁：逃走。

【译文】

微子说："父师、少师，难道我们殷商没有办法治理国家了吗？我们的高祖成汤成就了千古霸业，但是今天，我们的国王沉迷于酒色之中，严重败坏了高祖的美德。在殷商，臣民均劫夺偷盗，犯法作乱，身为官员连最起码的法度都不遵守。那些犯了罪的罪犯不加以逮捕和惩罚，人们受不了压迫纷纷起来反抗我们，和我们形成仇敌了。如今，殷商就要灭亡了，这就好比要渡过大河，却找不到渡口和河岸。殷商的沦丧，竟然到了今天的地步！"

（微子又）说："父师、少师啊！我将要回到我自己的封地了，我要扮成老人，藏匿于荒野之中。现在你们不把你们的意见告诉我，我的国家就要灭亡了。你们可以告诉我该怎么办吗？"

父师说："王子啊！上天降下深重的大祸给我们殷国，让国王沉浸在酒色里，让他不惧怕上天的威严，不听从大臣的劝告。现在我们殷国的小民，去盗窃祭神的贡物，这是因为他们衣食无着，虽然有罪，但是还可以原谅，他们把这些贡物吃掉，也不会造成什么灾害。上天时刻在监视着殷朝，国君用杀戮和重刑横征暴敛，招致民怨沸腾。这些罪行都在国君一人身上，臣民痛苦不堪却无处申诉。

“国家现在露出灾变的征兆，我们应该行动起来铲除祸端。如果国家将来走向灭亡，我们没有做别国臣仆的权利。我过去曾经告诉过箕子，让他们转告王子逃走，王子却不愿意逃走，因为这样我们的国家就将彻底灭亡了。还是大家自作主张吧，每个人都可以按照自己的主张，献身于先王的事业，我没有逃跑的打算。”

【解读】

文中记载的是微子与乐官的谈话，讨论在国家即将灭亡的情况下，各自应该抱有的态度和进退出处。

仔细品读，就不难发现，微子的谈话有两层意思：首先，他明确分析了当前的处境，指出因为商纣暴虐无度，完全抛弃了成汤的光荣传统，沉湎于声色，法度不明，政治腐坏暴乱，才招致人民的反抗，而走向灭亡；其次，他提出了在国家灭亡之际他的打算，即守或逃的问题。微子的这段话，一方面反映出他对国家即将灭亡的无限哀痛，另一方面反映了当时社会矛盾的尖锐。

其实，就微子本身而言，既然不可以力挽狂澜，不能从根本上改变局面，出逃也算是上策。出逃的直接原因是迫不得已，表面看似消极，实际上是一种明智之举。暴君专制一时之间无法推翻，那何不以出逃保存自己，等待契机呢？

# 周书

## 牧誓[①]

【原文】

时甲子昧爽[②]，王朝至于商郊[③]牧野，乃誓。王左杖黄钺[④]，右秉白旄以麾[⑤]，曰："逖[⑥]矣，西土之人！"王曰："嗟！我友邦冢君，御事[⑦]：司徒、司马、司空[⑧]、亚旅、师氏[⑨]、千夫长、百夫长[⑩]，及庸[⑪]、蜀[⑫]、羌[⑬]、髳[⑭]、微[⑮]、卢[⑯]、彭[⑰]、濮[⑱]人。称尔[⑲]戈，比尔干[⑳]，立尔矛，予其誓。"

王曰："古人有言曰：'牝鸡无晨[㉑]；牝鸡之晨，惟家之索[㉒]。'今商王受惟妇[㉓]言是用，昏弃厥肆祀，弗答[㉔]；昏弃厥遗王父母弟，不迪[㉕]；乃惟四方之多罪逋逃[㉖]，是崇是长[㉗]，是信是使[㉘]，是以为大夫卿士，俾[㉙]暴虐于百姓，以奸宄于商邑。今予发[㉚]，惟恭行天之罚。今日之事，不愆[㉛]于六步、七步，乃止齐[㉜]焉。夫子勖[㉝]哉！不愆于四伐[㉞]、五伐、六伐、七伐，乃止齐焉。勖哉夫子！尚桓桓[㉟]，如虎如貔[㊱]，如熊如罴[㊲]，于商郊。弗迓克奔，以役西土[㊳]，勖哉夫子！尔所[㊴]弗勖，其于尔躬有戮[㊵]！"

【注释】

①《牧誓》：公元前1066年周武王伐纣，在与纣王决战前的誓师辞。牧指牧野，在商朝都城朝歌（今河南淇县）以南七十里。这次决战以周武

王大胜、殷王朝覆灭告终。在这篇誓词中，周武王勉励军士和助战的诸侯勇往直前。

②甲子：甲子日。按周历计算，这一天是周武王即位后第十三年的二月五日。昧爽：太阳没有出来的时候，黎明时刻。

③王：指周武王。朝：早晨。商郊：商朝都城朝歌的远郊，按照古时距离王城五十里为远郊。

④杖：拿着。黄钺(yuè)：铜质大斧。

⑤秉：持。麾：同“挥”，指挥。

⑥逖(tì)：远。

⑦冢(zhǒng)：大。冢君：对邦国君主的尊称。御事：对于办理政务的大臣的泛称。

⑧司徒、司马、司空：古代官名。司徒管理臣民内务，司马管理军队，司空管理国土。

⑨亚旅：官名，上大夫。师氏：官名，中大夫。

⑩千夫长：官名，师帅。百夫长：官名，旅帅。

⑪庸：西南方诸侯国，在今天湖北房县境内。

⑫蜀：西南方诸侯国，在今天四川西部。

⑬羌：西南方诸侯国，在今天甘肃东南。

⑭髳(máo)：西南方诸侯国，约在今甘肃境内。

⑮微：西南方诸侯国，在今天陕西眉县境内。

⑯卢：西南方诸侯国，在今天湖北南漳境内。

⑰彭：西南方诸侯国，在今天甘肃镇原东。

⑱濮：西南方诸侯国，在今天湖北郧阳与河南邓州之间。

⑲称：举起。尔：你们。

⑳比：按照次序排列好。干：盾牌。

㉑牝(pìn)鸡：母鸡。晨：这里指早晨鸣叫。

㉒索：尽，空，衰落。

㉓妇：指妲己。

㉔昏弃：轻蔑，轻视。肆：祭祀祖先的祭名。答：问。

㉕迪：用，进用。

㉖逋（bū）逃：逃亡。

㉗崇：尊重。长：恭敬。

㉘信：信任。使：使用。

㉙俾（bǐ）：使。

㉚发：周武王的名字，武王姓姬。

㉛愆：超过。

㉜止齐：意思是整顿队伍。

㉝夫子：对人的尊称，这里指将士。勖（xù）：勉力，努力。

㉞伐：刺杀，一击一刺叫作一伐。

㉟桓桓：威武的样子。

㊱貔：豹一类的猛兽。

㊲罴（pí）：一种大熊。

㊳迓（yà）：御，意思是禁止。役：帮助。西土：指周国。

㊴所：如果。

㊵躬：自身。戮：杀。

【译文】

在二月五日的黎明时刻，周武王率领军队来到商都城郊外的一个叫牧野的地方，在这里举行誓师大会。武王左手拿着黄色的青铜大斧，右手拿着做指挥用的白色旗子，说："将士们，你们千里迢迢来到这里真是辛苦了。"武王说："啊！我友好的邦国国君以及诸位官员和各部落从征的将士们，请举起你们的戈，排好你们的盾，立好你们的矛，我就要宣誓了。"

武王说："古人曾经说过：'母鸡是不应当在早晨打鸣的；如果母鸡在早晨打鸣，那么就预示着这个家庭要败落了。'如今，商纣王为妇人迷惑，抛弃了对祖先的祭祀而不闻不问，在商国任意妄为。昏庸无道，竟然对同宗的长辈，或同宗的弟兄，不加起用；反而只对四方许多逃亡的罪人崇敬、提拔、信任、使用，任用这些人做卿士大夫一类的官，使他们残暴地对待百姓，在商的国都任意犯法作乱。现在我姬发要恭敬地按上天的意志来讨伐商纣。今天这场战斗，行进中不超过六步、七步，就要停下来整顿队伍。努力吧，将士们！作战中刺杀不超过四次、五次、六次、七次，然后停下来整顿。努力吧，将士们！你们要威武雄壮，像虎、豹、熊、罴一样勇猛，在商都郊外大战一场。不要迎击向我们投降的人，以便让他们为我们服务。努力吧，将士们！如果你们不努力，你们自身就会遭到杀戮！”

【解读】

《牧誓》是武王伐纣时的誓词，与《汤誓》一样，是一篇战争动员令。

面对周武王如此慷慨激昂的话语，将士们的心情大概是这样：决定命运的时刻到了，就在此时此刻此地；结果马上就要通过厮杀来决定，成者为王，败者为寇。这将是一个历史的转折点，若“成王”，从此历史将会开启全新的篇章。

不过，这并不只是一场攻城略地的单纯决斗，其中还存在着道义的问题。周武王列举了商纣王的三条罪状：第一条罪状是听信妇人的话；第二条罪状是不祭祀祖宗和上天；第三条罪状是任用四方逃亡的罪犯而不用同宗兄弟。这些罪状在当时可称得上是弥天大罪，不容宽赦，仅一条就当诛伐。正因为如此，周武王才会得到众人的拥护。他们拥护和支持或许并非因为武王这个人，而是出于道义。与其说他们是为周武王而战，倒不如说是为了道义而战。这就体现了“得道多助，失道寡助”的道理。

历史的经验告诉我们，人心的向背是一个永远不可忽略的关键。专制的暴君不重视这一点，因此灭亡。

## 洪范

【原文】

惟十有三祀[①]，王访于箕子。王乃言曰："呜呼！箕子，惟天阴骘[②]下民，相协厥[③]居，我不知其彝伦攸叙[④]。"

箕子乃言曰："我闻在昔鲧陻[⑤]洪水，汩陈其五行[⑥]。帝乃震怒，不畀洪范九畴[⑦]，彝伦攸斁[⑧]。鲧则殛[⑨]死，禹乃嗣兴。天乃锡[⑩]禹洪范九畴，彝伦攸叙。

"初一[⑪]曰五行，次二曰敬用五事[⑫]，次三曰农用八政[⑬]，次四曰协用五纪[⑭]，次五曰建用皇极[⑮]，次六曰乂[⑯]用三德，次七曰明用稽疑[⑰]，次八曰念用庶征[⑱]，次九曰向[⑲]用五福，威[⑳]用六极。"

【注释】

①惟：发语词。十有三祀：即十三年，这里指文王建国之后的第十三年，也是武王即位之后的第四年，殷商灭亡之后二年。有，又。祀，年。

②阴骘（zhì）：意思是庇护，保护。

③相：帮助。协：和。厥：他们，指臣民。

④彝伦：常理。攸：所。叙：顺序，这里的意思是制定、规定。

⑤鲧（gǔn）：人名，相传是夏禹的父亲。陻（yīn）：堵塞。

⑥汩（gǔ）：乱。陈：列。五行：指水火木金土这五种被人利用的物质。行：用。

⑦畀（bì）：给予。畴：种类。九畴指治国的几种大法。

⑧斁（dù）：败坏。

⑨殛（jí）：诛，这里指流放。

⑩锡：赐，给予。

⑪初一：第一，开始。

⑫次：第。五事：貌、言、视、听、思五件事。

⑬农：努力。八政：八种政事。

⑭协：合。五纪：五种计时的方法与天时相合。

⑮建：建立。皇极：意思是指至高无上的法则。句中省略掉中心词，联系下文第五条对皇极的解释来看，中心词应该是“原则”。

⑯乂：治理，指治理臣民。

⑰稽：考察。疑：疑问。

⑱念：考虑。庶：多。征：征兆。

⑲向：劝导。

⑳威：使之感到畏惧、警戒。

【译文】

周文王十三年，武王访问箕子。武王说：“箕子，是上天繁衍了下界的臣民，要他们能够和谐共处，我不知道上天让下界的臣民各安所居的常理究竟有哪些？”

箕子回答说：“我听说从前鲧采取堵塞的方法治理洪水，结果将水火木金土五行的排列扰乱了。上天大怒，就没有将治国的九种大法传给鲧，因而治国安邦的常理受到了破坏。后来，鲧在流放中死去了，大禹便继承了他父亲的事业继续治水，上天于是将九种大法赐给了禹，治国安邦的常理也因此确立。

“第一是五行，第二是恭敬地做好五方面的事情，第三是努力办好八方面的政务，第四是根据日月运行的情况制定历法，第五是建立最高法则，第六是推行三种治理臣民的办法，第七是明智地用卜筮来排除疑惑，第八是细致研究各种征兆，第九是用五种幸福劝人为善，用六极惩戒罪恶。”

【解读】

从文中我们不难得知，治国安邦是统治者的首要职责，不管他在主观上是不是想把国家治理得井井有条，欣欣向荣，人民安居乐业，只要他在这个位子上坐一天，就不得不进行治国安邦的事业。

但治国安邦是要讲求一定规则的，那么规则来自哪里呢？按照《洪范》的说法，是上天授予的，并且上天在授予规则的时候还要加以选择，若不按照规定行事就不授予，比如鲧就是这样。这样的说辞对于敬畏上天和天命的古人是十分有效的。古人用上天来解释所谓的治国规则，或许是为了增加其神秘性和权威性吧！

【原文】

“一、五行：一曰水，二曰火，三曰木，四曰金，五曰土。水曰润下，火曰炎上、木曰曲直①，金曰从革②，土爰稼穑③。润下作咸，炎上作苦，曲直作酸，从革作辛，稼穑作甘。

“二、五事：一曰貌，二曰言，三曰视，四曰听，五曰思。貌曰恭，言曰从④，视曰明，听曰聪，思曰睿⑤。恭作肃⑥，从作乂⑦，明作哲，聪作谋，睿作圣。

“三、八政：一曰食，二曰货，三日祀，四曰司空，五曰司徒，六曰司寇，七曰宾，八曰师⑧。

“四、五纪：一曰岁，二曰月，三曰日，四曰星辰⑨，五曰历数⑩。”

【注释】

①曲直：可曲可直。

②从：顺从。革：变革。这句话的意思就是说金可以依照人的要求进行变革。

③爰：作“曰”，助词，没有实义。稼穑：指庄稼。

④言：说话。从：顺从。这句话的意思是说讲话正当合理。

⑤睿：通达。

⑥作：则，就。肃：恭敬。

⑦乂：治。

⑧八政：八种政务官员。司空：掌管国土的官。司徒：掌管臣民内务的官。司寇：掌管司法事务的官。宾：掌管诸侯朝见的官。师：即司马，掌管军事的官。

⑨星：指二十八宿。辰：指十二辰。

⑩历数：日月运行经历周天的度数。

【译文】

“一、五行：第一叫水，第二叫火，第三叫木，第四叫金，第五叫土。水向下面润湿，火向上面燃烧，木可以弯曲或伸直，金在熔化之后可以根据人的要求变成不同的形状，土可以种植庄稼。向下湿润的水，它的味道是咸的；向上燃烧的火，它的味道是苦涩的；可曲可直的木，它的味道是酸的；可改变形状的金属，它的味道是辣的；可种植庄稼的土，它的味道是甜的。

“二、五事：一是态度，二是言论，三是观察，四是听闻，五是思考。态度要恭敬，言语要合情合理，观察要清楚明白，听取意见要聪慧敏捷，思考问题要通达。态度恭敬，天下的臣民就会严肃；言论合情合理，天下就会大治；观察清楚明白，就不会受蒙蔽；听闻聪敏，就能判断正确，思考通达，就可以成为圣人。

“三、八方面的政务：一是管理粮食，二是管理财货，三是管理祭祀，四是管理国土，五是管理臣民内务，六是管理治安，七是接待宾客，八是管理军事。

“四、五种计时方法：一是年，二是月，三是日，四是观察星辰，五是推算周天度数。”

【解读】

这一部分分别介绍了“五行”“五事”“八政”“五纪”，这些均与当时百姓的生活息息相关。在古代，世间万物均被“五行”所囊括，因此在第一小段，作者便对“五行”进行了详细的介绍；而对于第二段的“五事”，古人认为人复杂微妙的内心世界和言行总结而言才能算“五事”，因此也十分重要。

接下来，在第三段，作者简单介绍了“八政”，在第四段，介绍了记录时间的“五纪”。

【原文】

“五、皇极：皇建其有极。敛时①五福，用敷锡厥②庶民。惟时厥庶民于汝极。锡汝保③极。凡厥庶民，无有淫朋④，人无有比⑤德，惟皇作极。凡厥庶民，有猷有为有守⑥，汝则念之。不协于极，不罹于咎⑦，皇则受⑧之。而康而色⑨，曰：‘予攸好德。’汝则锡之福，时人斯其惟⑩皇之极。无虐茕独⑪，而畏高明。人之有能有为。使羞其行⑫，而邦其昌。凡厥正人⑬，既富方谷，汝弗能使有好于而家⑭。时人斯其辜⑮。于其无好德，汝虽锡之福，其作汝用咎。无偏无陂⑯，遵王之义；无有作好⑰，遵王之道；无有作恶，遵王之路。无偏无党，王道荡荡⑱；无党无偏，王道平平⑲；无反无侧⑳，王道正直。会㉑其有极，归其有极。曰皇极之敷㉒言，是彝是训㉓，于帝其训㉔。凡厥庶民，极之敷言，是训是行，以近㉕天子之光。曰天子作民父母，以为天下王。”

【注释】

①敛：集中。时：同“是”，指示代词，这。

②用：以。敷：普遍，布。锡：赐。厥：其，代指君主，用作庶民的定语。

③保：保持，遵守。

④淫朋：通过交游结成的小集团。淫，游。朋，小集团。

⑤比：勾结。比德的意思是狼狈为奸。

⑥猷：计谋。句子中的三个“有”字都是副词，通“又”，表示几种要求应该同时做到。守：操守。

⑦罹：陷入。咎：罪过。

⑧皇：代指天子。受：宽容。

⑨而康而色：句子中有两个“而”字，前一个是假设连词，犹，假如；后一个是人称代词，你。康，和悦。色，脸色温润。

⑩斯：将。惟：想。

⑪茕独：指鳏寡孤独、无依无靠的人。

⑫羞其行：进一步提高其德行。羞，进、贡献。

⑬正人：指做官的人。

⑭方：并。谷：禄位。这句话的意思是又富又贵。有好于而家：此句为倒装句，即“于而家有好”，意思是给你王室带来好处。而，是人称代词，意为你。

⑮辜：罪，怪罪。

⑯陂：不平。

⑰好：私好，偏好。

⑱荡荡：宽广的样子。

⑲平平（biàn）：平坦的样子。

⑳反：违反。侧：倾侧，指违犯法度。

㉑会：聚集。

㉒敷：陈述。

㉓彝：陈列。训：教训。

㉔训：顺从。

㉕近：亲附。

【译文】

“五、君主至高无上的统治准则：君主应该建立起至高无上的原则。要将这五种幸福集中起来，一起赏赐给臣民。这样，臣民就会拥护最高法则，向您贡献保持最高法则的方法：凡是臣民都不允许结党营私为非作歹，也不许各级官员狼狈为奸。将天子制定的法则视为最高准则。凡是有计谋、有作为、有操守的臣民，您要记着他们。行为不合法则，又没有构成犯罪的人，君主就应宽恕他们。如果有人和颜悦色对您说：‘我所爱好的就是美德。’您要赐给他们一些好处。这样，人们就会想着最高法则。不要虐待那些无依无靠的人，要敬畏明智显贵的人。对有能力有作为的人，要让他们有贡献才能的机会，这样，国家就会繁荣昌盛。凡是有经常性丰厚待遇的官员，如果您不能使他们对国家做出贡献，那么臣民就会怪罪您了。对于那些德行不好的人，您虽然赐给了他们好处，但他们会给您带来灾祸。不要有任何偏颇，要遵守王法；不要有任何私好，要遵守王道；不要为非作歹，要遵行正路。不要偏私，不结朋党，王道宽广；不结朋党，不要偏私，王道平坦；不违反王道，不偏离法度，王道正直。团结坚持最高法则的人，臣民就将归附最高法则。所以，对以上陈述的最高法则，要宣扬训导，这就是顺从上天的旨意。凡是把天子宣布的法则当作最高法则的臣民，只要遵照执行，就会接近天子的光辉。所以说，天子作为臣民的父母，就可做天下的君主。”

【解读】

箕子所说的“最高法则”，无非就是家长制的典型法则。不难理解，最后一句话已经将这一法则的要害点出，天子作为臣民的父母，就可做天下的君主。这就明白地告诉百姓，我们都是天子的子女，因此要服从、尊敬、孝顺天子，不可以犯上作乱。

【原文】

“六、三德：一曰正直，二曰刚克，三曰柔克①。平康正直②，强弗友③刚克，燮友④柔克。沉潜刚克⑤，高明⑥柔克。惟辟作福，惟辟作威，惟辟玉食⑦。臣无有作福作威玉食。臣之有作福作威玉食，其害于而家，凶于而国。人用侧颇僻，民用僭忒⑧。”

【注释】

①正：端正。直：曲直。刚克：过于强硬。柔克：过于软弱。

②平康正直：想要求得国家的太平安康，就需要端正人的曲直。平康，中正平和。

③友：亲近。

④燮（xiè）：和，柔和。燮友：指柔和可亲的人。

⑤沉潜刚克：对于乱臣贼子应当镇压。沉潜，意思是抑制、压制，其中沉与潜都有在下的意思，当指乱臣贼子。

⑥高明：推崇，高扬。

⑦玉食：美食。

⑧僭：差。忒：作恶，指犯上作乱的念头。

【译文】

“六、三种治理臣民的办法：第一，刚正直率；第二，以刚取胜；第三，以柔取胜。若想要国家太平，就需要时刻端正人的曲直。对于那些强硬而不能亲近的人，需要加以镇压，对于那些可以亲近的人，就用柔和的办法对待他们。对于乱臣贼子，必须镇压；对于高贵显赫的贵族，必须柔和。只有天子才有权造福，只有天子才有权施以威严和惩罚，只有天子才可以享受美食；而臣下没有权力造福施威，也没有权利吃美好的饭食。如果臣子私自给人以幸福和惩罚，吃美味的食物，就会给你的王室带来祸端，给你的国家带来凶灾，人们将会因此而背离王道，百姓也将因此而犯上作乱。”

【解读】

此文详细表述了在当时的社会历史背景下最受推崇的三种德行，即刚正直率、以刚取胜、以柔取胜。中正平和就是正直，强硬不可亲近便是以刚取胜，和蔼可亲便是以柔取胜。因此，要对刚强加以抑制，对和顺加以推崇。只有天子才能够造福于民，只有天子才能够享受美食。

这是一条天子独有的特权，即为民造福、惩戒臣民、享用美食。此项特权存在等级之分，若是想要抹杀差别就会被视为犯上作乱。所以，古时天子往往不喜欢刚强的人，而偏爱柔弱的人。天子“作威作福”，臣子“俯首帖耳”，在等级制度中是相得益彰的。天子刚强，臣子柔弱，刚柔相济，互相补充。

【原文】

“七、稽疑：择建立卜筮人，乃命卜筮：曰雨，曰霁，曰蒙，曰驿，曰克，曰贞①，曰悔②，凡七。卜五，占用二，衍忒③。立时人④作卜筮。三人占，则从二人之言。汝则有大疑，谋及乃心，谋及卿士。谋及庶人，谋及卜筮。汝则从，龟从、筮从，卿士从，庶民从，是之谓大同。身其康强，子孙其逢⑤吉。汝则从，龟从，筮从，卿士逆，庶民逆，吉。卿士从、龟从、筮从、汝则逆、庶民逆，吉。庶民从，龟从，筮从、汝则逆，卿士逆，吉。汝则从，龟从，筮逆，卿士逆，庶民逆，作内吉，作外⑥凶。龟筮共违于人，用静吉，用作⑦凶。”

【注释】

①贞：内卦。

②悔：外卦。

③衍：推演。忒：变化。

④时人：这种人，指卜筮官员。

⑤逢：打，昌盛。

⑥内：指国内。外：指国外。

⑦作：举事。

【译文】

“七、解决疑难的方法：选择善于卜筮的人，让他们分别用龟甲卜卦或用蓍草占卦，有了人选之后，就命令他们进行卜筮。卜筮的征兆如下：第一，兆形象雨；第二，兆形象雨后初晴时云气在空中；第三，兆形象雾气蒙蒙；第四，兆形象不连贯的云气；第五，兆相交错；第六，内卦；第七，外卦，共有七种。前五种用龟甲卜卦，后两种用蓍草占卦，由此推演变化。任用这些人从事卜筮时，由三个人分别占卜，信从两个人的说法。你如果有重大问题、疑问，首先自己要反复思考，然后再和卿士商量，再和庶民商量，最后问及卜筮。你自己同意，龟卜同意，筮占同意，卿士同意，庶民同意，这就叫大同。这样，自己的身体会健康强壮，子孙后代也会兴旺大吉。你自己同意，龟卜同意，筮占同意，卿士不同意，庶民不同意，也是吉利的。卿士同意，龟卜同意，筮占同意，你自己不同意，庶民不同意，也是吉利的。庶民同意，龟卜同意，筮占同意，你自己不同意，卿士不同意，也是吉利的。你自己同意，龟卜同意，筮占不同意，卿士不同意，庶民不同意，这样，做国内事就顺利，做外交事务就不祥。如果龟卜不同意，筮占不同意，即使你自己同意，卿士同意，庶民同意，也不可有所举动，安静地守着就吉利，有所举动就不吉利了。”

【解读】

在古代，人们遇到疑惑总是依靠占卜算卦解决问题。

箕子对此提出了自己的观点，即可以用占卜排除疑惑。

在当今社会，占卜算命被视为封建迷信，可是在古代，从君主到庶民，无不信奉神明，人间万物都是由神明掌控，遇到疑惑一定要进行占卜，请示神灵。这等大事，当然不能随意对待。于是，巫师术士成了政府官员，而且地位尊贵，俸禄不薄，权威不小，就连君主都要礼让三分。

周武王虽然算得上是一代枭雄，却和普通人一样信奉神明。九条洪范大法，竟然有一条专门讲占卜算卦。从箕子的表述中不难看出，占卜算卦在当时被视为十分神圣的事情，主要是用来解疑，即便遇到难解之题，只要卜筮一下，问题便可迎刃而解。而这之外的事情，就要依靠天子了。

【原文】

“八、庶征：曰雨，曰旸[①]，曰燠[②]，曰寒，曰风。曰时。五者来备，各以其叙[③]，庶草蕃庑[④]。一极[⑤]备，凶；一极无，凶。曰休征[⑥]：曰肃，时雨若[⑦]；曰乂，时旸若；曰哲，时燠若；曰谋，时寒若；曰圣，时风若。曰咎征：曰狂[⑧]，恒雨若；曰僭，恒旸若；曰豫，恒燠若；曰急，恒寒若；曰蒙，恒风若。曰王省[⑨]惟岁，卿士惟月，师尹惟日。岁、月、日、时无易[⑩]，百谷用[⑪]成，乂用明，俊民用章[⑫]，家用平康。日、月、岁、时既易，百谷用不成，乂用昏不明，俊民用微[⑬]，家用不宁。庶民惟星[⑭]，星有好风[⑮]，星有好雨[⑯]。日月之行，则有冬有夏。月之从星，则以风雨[⑰]。”

【注释】

①曰：为。以下数句中的“曰”同此。旸（yáng）：日出，这里指晴天。

②燠（yù）：温暖，暖和，炎热。

③时：通“是”，指示代词，统指上面五种现象。叙：次序，这里指时序。

④蕃：茂盛。庑：通“芜”，形容草丰盛。

⑤一：指雨、旸、燠、寒、风五种现象中的一种。极：过甚。

⑥休：美好。征：征兆。

⑦若：像。

⑧狂：狂妄，傲慢。

⑨省：通“眚（shěng）”，过失。

⑩无易：不发生异常的变化。易，改变。

⑪用：因。

⑫俊：有才能的人。章：彰，显明，这里指提拔任用。

⑬微：隐没，这里指不提拔任用。

⑭庶民惟星：这一句将众民比作众星。庶，众。

⑮星有好风：马融说：“箕星好风。”好，喜好。

⑯星有好雨：马融说：“毕星好雨。”“箕”与“毕”都是星名。

⑰月之从星，则以风雨：以上数句都是比方，以众星比百姓，是说百姓应该如众星被日月所统率一样，臣服于统治者的统治。“星有好风，星有好雨”是说百姓喜好无常，不可信从；“月之从星，则以风雨”是说政教发生改变，顺从了人们的心愿，就会大乱。

【译文】

“八、众多征兆：下雨、天晴、温暖、寒冷、刮风。若这五种征兆各自按照时序发生，那么草木与庄稼就会生长得十分繁茂。如果其中一种天气频繁出现，那么这一年的收成就不好；如果其中一种天气过少，这一年的收成也不好。各种好的征兆是：君主严肃恭敬，就好比及时雨；天下治理得好，就好比天气及时转晴；君主如果明智，就好比气候及时温暖；君主深谋远虑，就好比寒冷即将到来；君主圣明达理，就好比风及时吹来。各种不好的征兆是：君主狂妄傲慢，就好比久雨不停；君主办事错乱，就好比久旱不雨；君主贪图享乐，就好比久热不退；君主严酷急躁，就好比持久寒冷；君主昏庸愚昧，就好比持久刮风。君主若存在过失，就会对一年的天气造成影响；卿士有了过失，就会对一个月的天气造成影响；一般官员有了过失，就会对一天的天气造成影响。如果年、月、日的时序没有改变，那么庄稼就会大丰收，政治也会清明，国家因此太平安宁。如果日、月、年的时序改变了，那么庄稼就不会丰收，政治也会混沌不明，国家因此不得安宁。民众就好比漫天繁星，有的星辰喜欢雨，有的星辰喜欢风。太阳和月亮运行，就产生了春夏秋冬。如果月亮离开太阳顺从群星，就会风雨无常。

【解读】

将自然事物、现象等与人的政治事业联系在一起，从自然现象的演变去窥测人事的发展与变化、吉凶与祸福，是古人独有的思维方式，也带有一种神秘的色彩。箕子认为自然物候是君主政治的象征，更是一大发明。

古人一直将自然时序与君主的统治联系在一起，并从两个方面进行观察：一是各种现象之间的顺序是否有错乱，二是某种现象的出现是否正常。他们根据这两方面的观察，判断政治事务，并做出最终的决策。

【原文】

“九、五福：一曰寿，二曰富，三曰康宁，四曰攸[①]好德，五曰考终命[②]。六极：一曰凶、短、折[③]，二曰疾，三曰忧，四曰贫，五曰恶，六曰弱。”

【注释】

①攸：所。

②考：老。终命：善终。

③凶：早死，没有到换牙的年纪就死去。短：不到二十岁就死去。折：没有结婚就死去。

【译文】

“九、五种幸福：一是长寿，二是富贵，三是健康平安，四是修行美德，五是长寿善终。六种不幸：一是短命夭折，二是疾病，三是忧愁，四是贫穷，五是丑恶，六是懦弱。”

【解读】

此段说明的东西十分简单，对“幸”与“不幸”进行了归纳总结，作者认为幸福可以归结为五种：“寿”“富”“康宁”“攸好德”“考终命”。而不幸则可分为六种：“凶短折”“疾”“忧”“贫”“恶”“弱”。作者对幸与不幸进行罗列，不过是提醒人们珍惜幸福，避免不幸。

## 金縢

【原文】

既克商①二年，王有疾，弗豫②。二公③曰：“我其为王穆④卜？”周公曰：“未可以戚⑤我先王。”公乃自以为功⑥，为三坛同墠⑦。为坛于南方北面，周公立焉。植璧秉珪⑧，乃告太王、王季、文王⑨。

史乃册祝⑩曰：“惟尔元⑪孙某，遘厉虐疾⑫。若尔三王，是有丕子之责于天⑬，以旦代某之身。予仁若考⑭，能多材多艺⑮，能事鬼神。乃元孙不若旦多材多艺，不能事鬼神。乃命于帝庭⑯，敷佑⑰四方。用⑱能定尔子孙于下地，四方之民，罔不祗⑲畏。呜呼！无坠天之降宝命，我先王亦永有依归。今我即命于元龟⑳，尔之许我，我其以璧与珪，归俟[21]尔命；尔不许我，我乃屏[22]璧与珪。”

乃卜三龟[23]，一习吉[24]。启籥[25]见书，乃并[26]是吉。公曰：“体[27]！王其罔[28]害。予小子新命于三王，惟永终是图。兹攸俟[29]，能念予一人[30]。”公归，乃纳册于金縢之匮中[31]。王翼日乃瘳[32]。

【注释】

①既：时态副词，表示过去。克商：灭掉商朝。

②弗豫：古时天子生病的称谓。弗，否定副词，不。豫，《尔雅·释诂》：“豫，乐也。”

③二公：据《史记》，当指太公和召公。

④其：表示商量语气的副词。穆：恭敬。

⑤戚：忧虑。

⑥“公乃”句：这句话的意思是说，周公打算祷告先王让自己代替武王去死。乃，就。功，质，抵押品。

⑦三坛：《孔传》：“因太王、王季、文王请命于天，故为三坛。”坛，祭坛。同墠（shàn）：谓三坛同用此场地。墠，祭祀用的场地。

⑧植：通“置”，放。秉：拿着。璧、珪：均美玉。

⑨大王：即太王，武王的曾祖，是周王朝开创人之一。王季：武王的祖父，名季历。文王：武王父姬昌。

⑩史：《史记》作“内史”，即史官。祝：典册上的祝词。

⑪元：长。

⑫遘（gòu）：遇。厉：病灾。虐疾：暴病。

⑬是有丕子之责于天：所谓“‘天子病曰不豫’，言不复豫政也。诸侯曰‘负子’，诸侯子民，言忧民不复子之也，三王于殷为诸侯，故称其病为‘负子’”。

⑭若：通“而”。考：通“巧”，乖巧。

⑮材：通“才”，指才能。艺：也指才能。

⑯乃命于帝庭：意即在天帝之庭接受任命。

尚书

⑰敷佑：即匍有。“敷”与“溥”古时通用。

⑱用：因。

⑲罔：否定副词，不。祇（zhī）：敬。

⑳即：就。元龟：占卜用的大龟。

㉑归：回，指回到三王身边，意即死掉。俟：等候。

㉒屏（bǐng）：弃。

㉓三龟：一说在三王灵前各置一龟；一说指占卜三次（《洪范》中有三占从二之说）。两说均通，译文用前一说。

㉔一习吉：指占卜的均属吉兆。习，重。

㉕启：开。籥（yuè）：古时书写用的竹筒。

㉖并：皆。

㉗体：俞樾认为是发语词，表示庆幸。一说，“体”指占卜时的卦兆，亦通。

㉘罔：无。

㉙兹：这。攸：所。俟：大。

㉚予一人：周公自称。

㉛縢（téng）：封缄。匮：匣。

㉜翼日：明日。翼，通“翌”。瘳（chōu）：病愈。

【译文】

在殷商灭亡的第二年，武王生了重病，身体不适。太公、召公说：“我们为武王恭敬地占卜一下吧？”周公说：“还是不要让我们的先王过于忧虑吧。”周公打算以自己的生命为质（换得武王的健康），他在祭场上筑起了三个祭坛。祭坛建在南边，面向北方，周公站在放着璧玉的祭坛上，手持玉珪，然后向太王、王季、文王祷告。

史官将周公祷告时的祝词写在典册上，祝词说：“你们的长孙姬发得了重病，假若你们三位先王在天之灵得了什么疾病，需要子孙去服侍你们的话，那就让我姬旦去吧！我有孝敬的仁德而又伶俐乖巧，多才多艺，善于侍奉鬼神。你们的长孙并不像我这样，不可以侍奉鬼神。他刚刚在天帝的天庭那里被授予天命而拥有天下，正在统治四方。因而你们的子孙的统治权才这样在人间确定下来，四方的百姓对他又敬又爱。唉！不要丧失天帝赋予的宝贵天命啊，我们的先王也会有所皈依。现在我就要通过龟卜来接受你们的命令了，如果你们答应了我的要求，我立刻拿着璧和珪死去，然后等待你们的命令；假若你们不答应我的要求，那我就要把璧和珪抛掉。”

于是在太王、王季、文王的灵位前各放一龟，进行占卜，占卜结果显示都是吉兆。周公说：“好啊！通过占卜的兆相来看，大王的病应该没有什么危险了。我从三王那里接受命令，只有如何能够永远保持我们的统治这个大问题，才是我应当考虑的。而我们的先王也正因为这个问题，无时不为我们的君主祝福。”周公回去了，史官便把书写祝词的简册放进金属制成的用带子所封存的匣子里。第二天，武王就痊愈了。

【解读】

通过行文的内容，我们不难发现，此文意在歌颂周公的忠诚，面对病重的武王，周公竟用自己的生命做赌注，祈求三王对武王的护佑，由此可见周公的忠贞。

## 大诰

【原文】

王若[①]曰：“猷[②]！大诰尔多邦[③]，越尔御事[④]。弗吊[⑤]！天降割[⑥]于我家，不少延！洪惟我幼冲人[⑦]，嗣无疆大历服[8]。弗造哲迪民康[9]，矧曰其有能格[10]知天命？

“已[11]！予惟小子若涉渊水，予惟往求朕攸济[12]。敷贲[13]，敷[14]前人受命，兹不忘大功！予不敢闭[15]于天降威，用宁王[16]遗我大宝龟，绍天明[17]。即命曰[18]：‘有大艰于西土，西土人亦不静。’越兹[19]蠢。殷小腆诞敢纪其叙[20]。天降威[21]，知我国有疵[22]，民不康，曰‘予复[23]’，反鄙我周邦[24]。今蠢，今翼日民献[25]。有十夫予翼[26]，以于敉宁、武[27]图功。我有大事[28]，休[29]？朕卜并[30]吉！”

【注释】

①王：指周公，武王死后，武王的儿子诵年幼，周公暂时代替诵处理国事，故此处王当指周公。若：周公暂时代理天子的职权，故谈话或发布命令时，加上“若”字，以表示是暂时代理。

②猷：发语词。

③诰：周时，最高统治者对臣僚的训语称诰。尔：你，此处当理解为你们。邦：指诸侯。

④越：连词，和。御事：指诸侯下面的官吏。

⑤弗：不。吊：善。

⑥割：《广雅·释诂》：“害也。”

⑦洪惟：周公诰辞中，常用的发语词。洪，通“鸿”。幼冲人：年幼的人，此处指成王。

⑧嗣：继续。无疆：谓永恒。疆，界限。大历服：指天子的职位。历，久远。服，职位。

⑨弗：不。造：通“遭”。哲：明智。迪：道，此处用作动词，谓引导。康：安康。

⑩矧（shěn）：况，何况。格：推究。

⑪已：感叹词。

⑫“予惟往”句：承上文，当指渡过深渊，深渊比喻难关。此句省略中心词，所求的是渡过难关的办法。惟，只。攸，所。济，渡。

⑬敷：布，摆开。贲（fén）：殷周时占卜用的大龟名。

⑭敷：布，谓表达。

⑮闭：关闭，此处引申为隐藏。

⑯宁王：当作“文王”，古时“文”“宁”字形相近，致误。

⑰绍：卜问。天明：当作“明天”，联系上文当谓问明上天的用意。

⑱即：则。命曰：指卜辞。

⑲越：于是。兹：指示代词，这，指发动暴乱的人。

⑳腆：主持，引申为国主。诞：大。纪其叙：意思是整理其已经灭亡了的帝统，即图谋复辟。

㉑威：害。

㉒疵：病，指武王之死及群弟见疑之事。

㉓予：我。复：复国。这是周公代述殷人的话。

㉔鄙：鄙视，瞧不起。周邦：周国。

㉕翼：飞动的样子，比喻追随叛乱的人很多。日：可能是“曰”字之误。民献：即黎献、人民（采俞樾、杨筠如说）。

㉖予翼：倒装，谓辅助我。翼，辅助。予，我。

㉗敉（mǐ）：安抚平定。宁、武：指文王和武王。

㉘大事：这里指战事。

㉙休：美，善。联系上下文当指问卜兆的好与不好。

㉚并：皆。

【译文】

王说：“啊！现在，我要郑重地向你们各诸侯国，以及你们的部下宣布命令。不幸啊！上天要降祸于我们国家了，灾祸依然在继续发展，没有停息！现在我代替我年幼的侄儿执掌我们永恒的帝位。可是，我没有遇到明智的人，能令我们的臣民安居乐业，更何况说是了解天命之人？

“唉！我的处境就好像渡过深渊那样危险，我只好到上天那里寻找解救之法。摆下占卜用的大龟吧，让它来宣布先人们是如何在上天那里接受大命的，这样的大恩，是永世不敢忘记的！我不敢隐藏上天的威严意旨，用文王遗留给我们的大宝龟进行占卜，我们就可以问清楚上天的旨意了。结果就得到卜辞，说：‘西方会发生大灾难，西方人也会陷入水深火热之中。’于是这些阴谋叛乱的人就越发蠢蠢欲动了。殷商的余孽竟然想要恢复他们的统治地位。上天给我们降下了灾难，他们知道我们的国家现在陷入危难中，人们很不安宁，竟然说‘我们要恢复我们的统治’，反而更加看不起我们周国。现在他们发动叛乱了，有的地方的人们响应他们这种叛乱。但只要有十个人做我的助手，那我就可以平定叛乱，完成文王、武王所力图达到的武功。我现在要发动平定叛乱的战争，是否会吉利？最后，我占卜的结果都是吉利的！”

【解读】

据《史记·周本纪》记载，武王去世之后，管、蔡叛国，周公率领大军东征，历时三年才得以平叛，于是写下《大诰》。

武王灭纣，虽然是历史的进步，但这个进步一定是经过一番艰苦斗争才取得的，绝对不像儒家学派中的一些人所描述的那般轻松，《大诰》的记载就是一个明证。

首先，周公郑重地向各国诸侯发布命令，说国家要面临大祸，而且灾祸在不断地蔓延。他虽然掌握着权柄，但是因为没有给臣民一个安乐之所，就连自己的处境也如同过深渊那般危险。然后，提出了解决的方法。

从行文中我们不难看出，周公分析了当时国家所面临的困难，同时也提出了解决困难的方法。困难是什么呢？周公认为有两个方面：一是“我国有疵”，所谓“疵”，其实指的就是武王之死以及群弟见疑之事；二是

"殷小腆诞敢纪其叙"，即武庚等发动叛乱，图谋复辟。当时的情形正如周公描述的那般，这两个方面交织在一起，造成了当时极其严峻的局势。针对面前的困难，周公主张用武力解决。

## 康诰[①]

【原文】

王曰："呜呼！封，汝念哉！今民将在祇遹乃文考[②]，绍闻衣德言[③]。往敷求于殷先哲王，用保乂民。汝丕远惟商耇成人，宅心知训[④]。别[⑤]求闻由古先哲王，用康保民，弘[⑥]于天，若德裕[⑦]乃身，不废在王命[⑧]。"

王曰："呜呼！小子封，恫瘝[⑨]乃身，敬[⑩]哉！天畏棐忱[⑪]，民情大可见。小人难保，往尽乃心，无康好逸豫[⑫]，乃其乂民。我闻曰：'怨不在大，亦不在小。惠不惠[⑬]，懋不懋[⑭]。'已！汝惟小子，乃服惟弘。王应[⑮]保殷民，亦惟助王宅天命，作新[⑯]民。"

【注释】

①康诰：这篇诰文是周公的弟弟康叔被封到殷地上任之前，周公对他的训诫辞。当时，周公刚刚平定了三监和武庚发动的叛乱。他要求康叔吸取历史教训，"明德慎罚"，治理好殷民，巩固已经取得的政权。这篇诰文反映了周公的统治思想和司法制度，是一篇重要文献。这里节选了其中一部分。

②在：观察。祇：敬。遹（yù）：遵循。乃：你，指康叔封。文：指文王。考：父。

③绍：继。闻：指旧闻。衣：通"依"，依照。德言：德教。

④丕远：在这里起程度副词的作用，修饰"惟"。丕，大。惟：思，引

申为理解或考虑。商：指殷商。耇成人：指殷商遗民。耇，老。宅：度，揣测。训：顺，顺眼。

⑤别：另外。

⑥弘：大。

⑦德裕：德政，恩德。

⑧废：停止。在：完成。王命：指周的统治。

⑨恫：痛。瘝（guān）：病。

⑩敬：谨慎。

⑪棐（fěi）：辅助。忱：诚。

⑫豫：安乐。

⑬惠：顺服。

⑭懋：勉力。

⑮服：责任。应：受。

⑯宅：度。作：振作。新：革新。

【译文】

王说："唉！封啊，你一定要常常思考啊！现在的臣民将要观察你是否恭敬地遵循你的父亲——文王的传统，继续听取殷人的有德之言。来到了殷的故土，就要广泛地寻求殷商过去圣明国王在治理臣民方面的方式方法。你要永远把那些德高望重的老人们放在心上，认真听取教训，这样，你就会知道应该怎样治理才能使他们顺服了。此外，你还要去打听古代圣贤君主保民安民的方法，让这些遗训就像天一样宏大，如果你用德行来丰富自身，我们的政权就不会被上天抛弃了。"

王说："唉！年幼的封啊！治理国家就好比医治自身的疾病，可要小心啊！上天是可怕的，它是否真心帮助你，常常要通过臣民的情绪表达出来。小人是难以治理的，到那里，一定要倾尽全力，不要贪图安逸的生活，只有如此，才可以治理好你的臣民。我听说：'民怨的可怕不在大，也不在小。而是要让那些不顺从的人顺从，使不努力的人努力。'小子，你的职责是授命为大王安定商朝的遗民，也是辅佐王室保有天命，改造殷商的遗民。"

【解读】

这一段文字是周公对于历史经验的总结，主要体现的是明德尚德的基本思想。明德尚德是为了实行德政，以此让殷王朝的遗民人心归顺。

在此过程中，周公深刻地认识到"天畏棐忱，民情大可见。小人难保，往尽乃心，无康好逸豫，乃其乂民"，并提出要"归顺人心"。对于殷朝遗民而言，纣王固然残暴，但这并不能以偏概全。他们也有过自己圣明的先王成汤，有自己的血缘亲情，有自己的风俗文化传统，这些都是不可被征服、不可被同化的。周公作为一代圣人，自然知道不可凭借武力与暴政迫使殷民归顺，所以谆谆告诫康叔研究学习先王圣哲德治的经验，以安抚殷民的人心。

【原文】

王曰："呜呼！封，敬明[1]乃罚。人有小罪，非眚[2]，乃惟终，自作不典[3]，式尔[4]，有[5]厥罪小，乃不可不杀。乃有大罪，非终，乃惟眚灾[6]，适尔，既道极厥辜[7]，时乃不可杀。"

王曰："呜呼！封，有叙时[8]，乃大明[9]服，惟民其敕懋和[10]。若有疾，惟民其毕弃咎[11]。若保赤子[12]，惟民其康乂。非汝封刑人杀人，无或刑人杀人。非汝封又曰劓刵[13]人，无或劓刵人。"

王曰："外事[14]，汝陈时臬，司师[15]。兹殷罚有伦[16]。"又曰："要囚[17]，服念[18]五六日，至于旬时，丕蔽[19]要囚。"

王曰："汝陈时臬，事[20]罚，蔽殷彝[21]，用其义[22]刑义杀，勿庸以次[23]汝封。乃汝尽逊[24]，曰时叙，惟曰未有逊事。已！汝惟小子，未其有若[25]汝封之心，朕心朕德惟乃知。"

【注释】

①敬：恭谨。明：严明。

②眚：过失。

③终：经常。典：法。

④式：用。尔：如此。

⑤有：虽然。

⑥眚灾：由过失造成的灾祸。

⑦适：偶然。道：指法律。极：穷尽。辜：罪。

⑧有：能。叙：顺从。时：这。

⑨明：顺服。

⑩敉：这里指勤劳地从事生产。和：和顺，意为不犯法。

⑪毕：尽。咎：罪过。

⑫赤子：小孩。

⑬刵（èr）：古时割掉耳朵的刑罚。

⑭外事：判断案件的事。

⑮陈：公布。臬（niè）：法度。司：治理，管理。师：众，指臣民。

⑯伦：条理，法。

⑰要囚：幽囚，囚禁犯人。

⑱服念：思考。

⑲丕：乃。蔽：判断。

⑳事：从事，施行。

㉑彝：法。

㉒义：宜，应该。

㉓勿庸：不用。次：恣，顺从。

㉔逊：顺从。

㉕若：顺从。

【译文】

王说："唉！封啊，你要认真对待，让你的刑罚变得严明。一个人犯错之后，不知悔改，还始终做一些违反法律的事情，这就说明他是故意犯罪，对于这种人，即便他的罪很小，也要杀。一个人犯了大罪，但他不坚持犯错，并且有意悔改，这样，在依照法律判定他的罪过时，是不应该杀掉他的。"

王说："唉！封啊，如果你能够这样，臣民都会归顺于你，他们会勤劳地从事生产并且相互勉励不去犯上作乱。对待老百姓犯罪要像对待自己生病一样，如此，百姓就会彻底弃恶从善。对待百姓要像养护孩子一样，如此，百姓就会得到安定。除非是你封在惩罚人、杀人，否则不会有人敢去惩罚人和杀人。除非你封在割人家的鼻子和耳朵，否则没有人敢去割别人的鼻子和耳朵。"

王说："处理司法案件，你要列出标准，并且按照殷商时代的刑罚来治理众民。"又说道："对于囚犯的处罚，要认真考虑五到六天，甚至要考虑十天，最后才可以做决定。"

王说："你要列出法律标准来执行，然后根据殷商刑罚来判罪。在判罪时，一定要采用这种原则：只要是应该受罚的就一定要受罚，只要是应该杀掉的就一定要杀掉，不要一味地顺从你的想法来行事。如果把完全顺从你的愿望说成是秩序的话，那么就没有一件事情是顺利的了。唉，你这个年轻人啊，我的话可能不合你的心意，但是我的心与我的德行，只有你最清楚了。"

【解读】

这一节专讲"慎罚"，即使用刑罚要慎重。为了让康叔更清楚地明白其中的道理，周公对他说："对于刑罚要谨慎严明。如果你这样做了，那么臣民就会归顺于你……在宣布法律条文之后，就要据以惩治罪犯，慎重用刑，不可以一味按照自己的意愿行事。"

从这段文字中，我们可以发现这样几个要点：第一，在实施刑罚的时候，不能光看罪行，还要看动机，要对故意犯罪、不思悔改的人实施重罚，对过失犯罪、愿意悔过自新的人适当减轻处罚；第二，执政者亲自掌握刑罚，确保刑罚的权威性；第三，慎重判决，多加考虑；第四，不可以用自己的意愿代替法律标准。

周公的这些观点颇具现代法律的观念，而且有意识地将刑罚作为维权的一种手段。不过，在此需要注意的是，不可用"人治"替代"法律"，简而言之，就是要讲究规则，按照规则办事，不以统治者的喜好为基准，而是以法律为准则。

周公推行"德政"，辅之以法律手段，让他获得了后人的称赞。

## 酒诰①

【原文】

王若曰："明大命于妹邦②。乃穆③考文王，肇国在西土④。厥诰毖庶邦庶士越少正、御事⑤朝夕曰：祀兹⑥酒。惟天降命，肇⑦我民，惟元⑧祀。天降威⑨，我民用大乱⑩丧德，亦罔非酒惟⑪行，越小大邦用丧，亦罔非酒惟辜⑫。

"文王诰教小子有正有事⑬：无彝⑭酒；越庶国⑮，饮惟祀，德将⑯无醉。惟曰我民迪小子，惟土物爱⑰，厥⑱心臧。聪听祖考之彝训[19]，越[20]小大德，小子惟一[21]。

“妹土，嗣尔股肱[22]，纯其艺[23]黍稷，奔走事[24]厥考厥长。肇[25]牵车牛，远服贾[26]，用孝养厥父母。厥父母庆[27]，自洗腆[28]，致[29]用酒。

“庶士有正越庶伯、君子[30]，其尔典[31]听朕教！尔大克羞耇惟[32]君，尔乃饮食醉饱。丕惟曰：尔克永观省[33]，作稽[34]中德，尔尚克羞馈祀[35]。尔乃自介用逸[36]，兹乃允惟王正事[37]之臣。兹亦惟天若元德[38]，永不忘[39]在王家。”

【注释】

①《酒诰》：周公命令康叔在卫国宣布戒酒的告诫之辞。殷商贵族嗜好喝酒，王公大臣酗酒成风，荒于政事。周公担心这种恶习会造成大乱，所以让康叔在卫国宣布戒酒令。

②明：宣布。妹邦：指殷商故土。

③穆：尊称，意思是尊敬的。

④肇：开始，创建。西土：指周朝。

⑤厥：其，指文王。诰毖：谨慎教训，告诫。庶邦：指各诸侯国君。庶士：各位官员。少正：副长官。御事：办事的官员。

⑥兹：则，就。

⑦肇：劝勉。

⑧惟：只有。元：大。

⑨威：惩罚。

⑩用：因。大乱：造反。

⑪惟：为。

⑫辜：罪过。

⑬小子：指文王的后代子孙。有正：指大臣。有事：指小臣。

⑭无：不要。彝：经常。

⑮越：和。庶国：指在诸侯国任职的文王子孙。

⑯德将：以德相助，用道德来要求自己。将，扶助。

⑰迪：开导，教育。土物：庄稼，农作物。爱：爱惜。

⑱臧：善。

⑲聪：听觉敏锐。祖考：指文王。彝训：遗训。

⑳越：发扬。

㉑小子：指殷民。惟一：同样。

㉒嗣：用。股肱：脚手。

㉓纯：专一，专心。艺：种植。

㉔事：奉养，侍奉。

㉕肇：勉力。

㉖服：从事。贾：贸易。

㉗庆：高兴。

㉘洗：洁，指准备。腆：丰盛的膳食。

㉙致：得到。

㉚庶士、有正、庶伯、君子：统称官员。越：和。

㉛其：希望。典：经常。

㉜克：能够。羞：进献。惟：与。

㉝丕：语气词，没有意义。省：反省。

㉞作：举动，行动。稽：止。

㉟馈祀：国君举行的祭祀。

㊱乃：如果。介：限制。用逸：指饮酒作乐。

㊲允：信任。惟：是。正事：政事。

㊳若：善，赞美。元德：大德。

㊴忘：被忘记。

【译文】

王说："康叔，你要在殷朝旧都宣布重大命令。你那尊敬的父亲文王，在西方开创了这个国家，他告诫我们说：'要谨慎，只有在祭祀的时候，才可以用酒。'上天降下命令，劝诫我们的百姓，只有在祭祀的时候才能够喝酒。上天降下惩罚，我们的百姓大乱而丧失德行，也无非是酒造成的罪行；有些诸侯国灭亡了，那也是众民饮酒过度带来的灾祸。

“文王教导子孙和官员们：不要经常喝酒。同时也要求诸侯国君，只有在祭祀的时候才能够饮酒，且不要喝醉。文王还说，要时常教导我们的子孙爱惜庄稼，这样，他的心地就会善良。你一定要牢记这些教训，发扬他们的美德。

“殷商旧都的殷民们，一定要尽心尽力地种好庄稼，为父兄和官长们奔走效劳。在农事完毕以后，你们就可以赶快牵着牛车，到外地从事贸易，以此孝敬赡养你们的父母。你们的父母一定会高高兴兴地自己动手准备丰美的饭食，在这时，你们就可以饮酒了。

“官员们，希望你们经常聆听我的教导。只要你们能够很好地奉养长辈和国君，你们不但饭可以吃得饱，酒也可以喝得足了。我要告诉你们的是：你们要时刻观察和反省自己的行为，让自己的言行举止符合道德的标准。你们能够与君主一起向上天进献食物，你们也就可以向上天祈求安乐了。你们这样做了，那么就是上天嘉奖的有德之人，王室会永远记住你的。”

【解读】

这一段文字从正面阐述了戒酒的重要性。诰辞指出，戒酒不仅是文王的教导，也是上天的旨意。上天把酒造出来，不是供人享受的，而是用来祭祀的。文王与上帝在当时享有至高无上的权威，诰辞指出文王与上帝，很显然是为了强调这一措施势在必行，不容违抗。

周公在戒酒令中说：“上天之所以降下惩罚，主要是因为我们的臣民不顺从，犯上作乱，失去了德行，这些都是酗酒造成的。那些诸侯国的灭亡，也有酗酒的因素在其中。文王告诫我们，不要经常饮酒，还告诫我们要时刻教育自己的儿孙爱惜粮食，让他们拥有一颗善良的心，并将这一美德发扬下去。”

可是什么时候可以饮酒呢？周公告诫臣民：“当庄稼丰收、侍奉父兄的时候，你们可以饮酒。”此外，他还告诫臣子们：“你们只有在向父母和君主敬酒的时候，才可以饮酒。而且，只要你们时刻反省自己，让自己的言行举止合乎道德的标准，那么就可以参与国君举行的祭祀礼。如果你们能够限制饮酒，就可以长期成为君主的治事官员，就可以被王室永远记住。”

从上文中我们不难看出，当时的人们对于酒的偏好已经到了不可自拔的地步，特别是王公贵族和朝廷官员，酗酒误国，甚至丧国，因此才要严令禁酒。

不过，这个禁酒令是有节制的。它不是彻底禁酒，因为酒需要用来祭祀神明、天地，要用于孝敬国君、父兄，所以要“网开一面”。

## 召诰

【原文】

惟二月既望[①]，越六日乙未，王朝步自周，则至于丰。

惟太保先周公相宅，越若来三月[②]，惟丙午朏[③]。越三日戊申，太保朝至于洛，卜宅。厥既得卜[④]，则经营[⑤]。越三日庚戌，太保乃以庶殷攻位于洛汭[⑥]。越五日甲寅，位成。

若翼日[⑦]乙卯，周公朝至于洛，则达观于新邑营[⑧]。越三日丁巳，用牲于郊[⑨]，牛二。越翼日戊午，乃社[⑩]于新邑，牛一，羊一，豕一。

越七日甲子，周公乃朝用书[11]，命庶殷侯、甸、男、邦伯。厥既命殷庶，庶殷丕作[12]。

【注释】

①惟：发语词无意义。二月既望：二月十六日。

②越若：犹于是。来三月：指下一月便是三月。来，表示将来时，如明日为来日，明年为来年。

③惟：语词。朏（fěi）：新月的光。曾运乾说：“朏，月三日明生之名。”

④厥：语首助词，无实义。得卜：得到吉祥的卜兆。

⑤则：承接连词，犹今语就。经营：指建筑。

⑥洛汭（ruì）：洛之入河处。洛，洛水。汭，水的弯曲处。

⑦若：及，到。翼日：明日。翼，通“翌”。

⑧达：通。观：此处谓视察。营：区域，犹今语营盘。

⑨郊：古时祭天地的典礼，此处单指祭天。

⑩社：立社祭地神。

⑪朝：早晨。书：指书写的命令。

⑫庶：众。丕：大。作：动工。

【译文】

二月十六日之后的第六天乙未日，成王一大早就从镐京出发，到了丰邑。

太保召公在周公之前抵达洛地勘察宫室宗庙的基地，接下来的三月初三，新月露出光辉。又过了三日到戊申这天，召公在早晨抵达洛邑，对选好的地址进行了占卜。当得到吉利的卦象之后，就开始营建。过了三天到庚戌这天，召公率领众多殷民在洛水入黄河处营建宗庙宫室的基地。过了五日，到甲寅这天，基地建成。

第二天是乙卯日，周公早晨抵达了洛邑，将整个工地视察了一遍。第三日丁巳这天，在南郊祭天，用两头牛祭祀。第二天戊午，便在新邑立社庙祭地神，祭时用牛、羊、猪各一头。

又过了七天，在甲子日的早晨，周公便以书册的方式向殷民和各诸侯国的国君颁发了营建洛邑的命令。对他们下达完命令之后，众多殷人就大规模开建了。

【解读】

根据《史记》中的相关记载，武王去世之后，成王尚且年幼，所以周公“代成王摄行政当国”。七年之后，成王成年，周公就将政权还给成王“北面就臣位”。就在这一年，成王决定营建洛邑，并且派遣召公主持。在营建的过程中，周公前往洛阳视察，因而作《召诰》和《洛诰》。

《召诰》这一部分主要叙述的是营建洛邑的过程和情况，从中可以看出，周初统治集团对营建洛邑极为重视。

第一，勘察地形。选择一个良辰吉日，前往营建之地勘察地形。为了表示出对营建的重视，太保召公在周公之前，就来到洛地勘察宫室宗庙的基地。

第二，进行占卜。为了确保修建的顺利，向上天问卜，并在占卜中得到吉兆，便开始营建。

第三，准备祭祀祭品。周公来到洛邑之后，对新邑的规模进行全面视察，之后便准备举行祭祀大礼。为了让这场祭祀更加隆重、盛大，周公准备了两头牛祭天。第二天又在新邑立社庙祭地神，祭时用牛、羊、猪各一头，以表对上天的感激之情。

第四，颁布营建命令。等到一切准备就绪之后，周公才向殷民和各诸侯国的国君颁发营建洛邑的命令。向殷民宣布命令之后，殷民便大举动工了。

【原文】

太保乃以庶邦冢君出取币[1]，乃复入锡[2]周公，曰："拜手稽首，旅王若公[3]。诰告庶殷越自乃御事：呜呼！皇天上帝，改厥元子兹大国殷之命[4]，惟王受命，无疆惟休，亦无疆惟恤。呜呼！曷其奈何[5]弗敬？

"天既遐[6]终大邦殷之命，兹殷多先哲王在天。越厥[7]后王后民，兹服厥[8]命。厥终[9]，智藏瘝在[10]。夫知保抱携持厥妇子[11]，以哀吁[12]天，徂厥[13]亡，出执[14]。呜呼！天亦哀于四方民，其眷命用懋[15]，王其疾敬德。

"相[16]古先民有夏，天迪[17]从子保，面稽[18]天若，今时既坠厥命[19]。今相有殷，天迪格保[20]，面稽天若，今时既坠厥命。今冲子嗣[21]，则无遗寿耇[22]，曰其稽[23]我古人之德，矧曰其有能稽[24]谋自天。

"呜呼！有王虽小，元子[25]哉，其丕能諴[26]于小民。今休，王不敢后[27]。用顾畏于民碞[28]，王来绍[29]上帝，自服于土中[30]。旦曰：'其作大邑，其自时配[31]皇天，毖祀于上下[32]，其自时中乂[33]。王厥有成命，治民今休。'

"王先服殷御事[34]，比介[35]于我有周御事。节性[36]，惟日其迈[37]。王敬作所[38]，不可不敬德。"

【注释】

①以：和，与。冢君：长君。币：指币帛之类的赠送礼物。

②锡：赠予。

③旅王若公：从《洛诰》的记载看，勘察宗庙宫室的基地时，成王尚在西都，并未来洛地。周公这时将要返回旧都，所以召公把打算向成王陈述的意见陈述给周公，希望周公把这些意见转达给成王，故说"旅王若公"。旅，陈述。若，曾运乾以为读如"那"，可解作"于"或"在"。

④改：改革。厥：其。元子：即天子。兹：指示代词，这。命：指天子的大命。

⑤曷其奈何：为什么。

⑥遐：当为“假”，已经。

⑦越：与。厥：代词，其。

⑧兹：作“孜”，谓勤勉。服：本义为服从，此处可引申为遵循。厥：代词，指先王。

⑨厥：语首助词，无义。终：末世。

⑩智：有知识、有本领的人。瘝：病，这里指代奸邪之人。在：与上文“藏”对言，指留下（在朝廷中效命）的人。

⑪夫：男人。知：匹偶。保：通“褓”，小儿衣物。厥：代词，其，指下述男人。妇：妻。子：儿子。

⑫吁：呼告。

⑬徂：通“诅”，诅咒。厥：其，指殷纣。

⑭执：胁迫。

⑮眷：顾。懋：迁移，此指大命由殷迁之于周。

⑯相：视。

⑰天迪：上天的启迪。

⑱面：当面。稽：考。若：读为“诺”，意思是说“旅保”一类人在上天那里当面接受上帝的命令。

⑲坠：失去。厥：其，犹今语他的。命：大命，指帝统。

⑳格保：即上文“旅保”，能够沟通天人意见并传达上天命令的人。

㉑冲子：年幼的人，此处指成王。嗣：继。

㉒遗：留下。寿耇：年长有德的老年人。

㉓曰：语词。稽：考。

㉔稽：本义为考，此处可引申为咨询。

㉖元子：即天子。

㉗其：他。丕：大。諴（xián）：和，和谐。

㉗后：推迟，此指不敢迁延建洛之举。

㉘喦：同“岩”，险。此处“民岩”指殷的遗民，殷民初不服周的统

治，故曰险。

㉙绍：曾运乾云："读为'卲'，卜问也。"

㉚自：用。服：治。土中：谓天下之中，指洛邑。

㉛自时：犹今语从此。自，从。时，通"是"，这。配：配享，此处是说祭天时以周的先祖配享。

㉜毖：谨慎。上下：上指天神，下指地神。

㉝中乂：居中治理国家。乂，治。

㉞服：治。御事：治事诸臣。此句大意是说，先要治服殷的遗臣。

㉟比：近。介：当作"尔"，同"迩"。比迩，谓靠近、接近。

㊱节性：意即克服殷人反抗的心理。节，节制，引申为改造。性，性情。

㊲迈：进。

㊳作所：谓以身作则。

【译文】

太保召公和各邦国的诸侯们取出礼品，再次进来赠给周公，并说："请接受我们的礼拜，向大王禀告，我已经把周公您的告诫转达给众多殷人和那些治事诸臣。啊！上天更改了殷国的大命，不再让他们统治天下，周王接受了上天的大命，这真是无限的荣耀，但也有无限的忧虑。唉！为什么不应该有所警惕呢？

"上天既然已经结束了殷国的大命，这殷国许多圣明的先王都在天上。殷纣王和臣民开始还能服事先王的大命。但到了殷纣末年，有才能的人藏了起来，奸邪小人在位。有了家室的成年男子怀抱着婴孩，带着妻子一起悲痛地呼告苍天，诅咒殷纣，希望殷国可以快一点灭亡，以跳出深渊。啊！上天也哀怜四方小民，他看到这样的情形，就将大命转交给我周国。王啊！希望你赶快敬重德行！

"看看古代夏朝的百姓，上天让那深知天道的人来开导他们，他们努力地揣测天意，如今还是失去了大命。现在再看看殷人，上天教导他们要爱护百姓，他们也努力揣测天意，现在上天也废弃了他们的大命。如今，年幼的成王继承了王位，都没有可靠的人辅佐他，没有人能考究古人的道德，更何况是能够咨询上天意见的人了。

“啊！成王虽然年幼，但他是一国的天子，他能够很好地治理国家，让百姓和谐。现在国家的形势很好，成王不敢拖延建造洛邑的大事。他由于看到小民难治而心怀忧虑，于是去卜问上天，因而在天下的中部营建洛邑，以便治理国家。周公说过：‘赶快营建大邑，此后在祭天的时候，就可以以先祖后稷配享，谨慎地祭祀天神和地神了，从此便可以居于天下之中而治理国家了。成王若树立了决心，那么治理小民就能够成功了。’

“王首先需要治理殷国的遗臣，让他们可以顺从我们并且和我们周国治事诸臣一样为国效劳。要节制、改造他们的性情，让他们每天都进步。成王也应恭敬谨慎，以身作则，不可不敬重德行！”

【解读】

这一段旨在总结殷商灭亡的教训，“言天命不可恃，祖宗不可恃，惟敬德庶可凝固天命”。其中“惟王受命，无疆惟休，亦无疆惟恤。呜呼！曷其奈何弗敬”，就是这种思想的反映。以周公为代表的周初统治者，从未将至高无上的政权看作是上天赐予的可保永久的大命，而是始终怀揣着一颗恭谨的心情来从事巩固政权的工作。

可是，怎样才能巩固政权呢？召公总结了殷商灭亡的教训，将殷的“先王”和“后王”进行对比。“先王”圣明，而“后王”开始的时候还可以按照先王的命令行事，但是后来就开始残虐百姓，上天为了怜悯这些受苦受难的百姓，而结束了殷商的大命，将其转交到周的手里。根据这样的教训，召公谆谆地告诫成王“疾敬德”。“疾”字用得恰到好处，不但表现出“敬德”的重要，也表现了召公心情的殷切。

【原文】

“我不可不监[1]于有夏，亦不可不监于有殷。我不敢知曰，有夏服[2]天命，惟有历年[3]；我不敢知曰，不其延[4]。惟不敬厥[5]德，乃早坠[6]厥命。我不敢知曰，有殷受天命，惟有历年；我不敢知曰，不其延。惟不敬厥德，乃早坠厥命。今王嗣[7]受厥命，我亦惟兹二国命[8]，嗣若[9]功。

“王乃初服[10]。呜呼！若生子[11]，罔不在厥初生，自贻[12]哲命。今天其命哲[13]，命[14]吉凶，命历年。知[15]今我初服，宅新邑[16]，肆惟王其疾[17]敬德。王其德之用，祈天永命。

“其惟王勿以小民淫用非彝[18]，亦敢殄戮用乂[19]民，若有功。其惟王位在德元[20]，小民乃惟刑[21]用于天下，越王显[22]。上下勤恤[23]，其[24]曰：我受天命，丕若有夏历年，式勿替[25]有殷历年。欲王以小民，受天永命。”

拜手稽首曰：“予小臣敢以王之仇民百君子越友民[26]，保受王威命明德。王末有成命[27]，王亦显。我非敢勤[28]，惟恭奉币，用供王能祈天永命。”

【注释】

①监：通“鉴”，戒，指可以作为教训的事。

②服：职务，此处可引申为接受职务。

③历年：年代久远。历，久。

④其：语中助词，无实义。延：长久。

⑤惟：只，独。厥：语中助词，无实义。

⑥坠：失去。

⑦嗣：继。

⑧惟：思。命：下有省略，意思是说，应当考虑二国为什么会丧失大命。

⑨嗣：继。若：其。

⑩乃：是，为。初服：指初次处理政务。服，习。

⑪若：好像。生子：十五岁的少年称生子，古人以十五岁的少年情欲初生，故称生子。

⑫贻：传。

⑬其：时态副词，将。命哲：即赐大命于明智之人。哲，明智。

⑭命：赐予（采于省吾说）。

⑮知：知道。

⑯宅：动词，居住。新邑：即洛邑。

⑰肆：故。惟：通“唯”，表希望。疾：速。

⑱其：祈使副词，犹希望。淫：放纵，过度。彝：法。

⑲殄：灭绝。戮：杀。乂：治。

⑳其：表祈使，犹希望。元：元子，指天子。

㉑惟：语中助词，无实义。刑：法。

㉒越：发扬光大。显：显德。

㉓上下：上指君，下指臣。恤：忧虑。

㉔其：庶几，犹今语差不多。

㉕替：废。

㉖仇民：即殷的遗民，殷民于周为仇，故称仇民。百君子：指殷的许多遗臣。百，言其多。越：和，及。友民：与“仇民”对言，“友民”当指周的臣庶。

㉗末：终。成命：指营建洛邑之事。

㉘勤：慰劳。

【译文】

“我们不得不以夏国为借鉴，也不能不以殷国为鉴。我不知道，夏接受上天的大命可以经历多长时间；我也不敢知道，他们不能够经历长久。我所知道的是因为他们不敬德，才早早地结束了大命。我不知道，殷接受上天的大命可以经历多长时间；我也不知道，他们不能够经历长久。我所知道的是他们因为不敬德，早早地断送了大命。如今，成王接受了上天赐予的大命，我们要思考这两个国家兴亡的缘由，从中得到教训。

“成王才刚刚正式治理国家。啊！这就好比是一个刚刚成年的人，成功与失败都在这个时候，所以一定要选择一条明智的道路走下去。现在上天把大命赐给那些明智而有道德的人，至于降下的是吉还是凶，给予的时间是长还是短，这些都是预料不到的。我所知道的是成王刚刚治理国家，居住在新邑，如今唯一的希望就是成王可以赶快敬重德行。王啊！只有根据道德行事，才可以祈求上天赐予长久的大命。

“希望成王不要与小民一同放任自己的行为而做出违法的事情，要敢于用刑杀的办法治理小民，如此才可以成功。希望成王居于天子之位，而有圣人的大德，下民就能够自行按照法度行事，将成王的美德发扬光大。君臣上下，经常将忧虑放在心中，如此才算得上是接受了上天的大命，才能够像夏一样经历久远的年代，才不至于像殷那样废弃了上天所赐予的久远的年代。我们希望成王可以让百姓安居，让上天高兴，如此求得永久的大命。”

召公行礼之后说：“我小臣和殷的遗臣遗民以及我周国的臣子庶民，一同保卫成王在上天那里接受的大命，发扬成王的大德。成王也终于定下了建造洛邑的主张，成王的大德便因此更加光显了。我不是敢于慰劳成王，只不过是恭敬地奉上礼品，以供成王祈求上天给予永久的大命罢了。”

【解读】

这一部分可以分为两大点，第一大点又可以分为三个小节，第一小节继续总结夏、殷的灭亡教训，之后指出幼主即位，但辅佐之人匮乏，意在说明当时巩固政权的事业十分艰难。第二小节说明营建洛邑的原因，为什么君主不敢迁延营建洛邑呢？主要原因是，周朝初期的统治者“畏于民岩”，看到了治理殷民的困难。再者洛邑的位置正好处于全国的中心，在这个地方营建都邑，有助于加强对全国的统治。第三小节一面提出改造殷民，一面又再一次告诫君主要“敬德”。

第二大点，开始依然是在总结夏、殷灭亡的教训，“惟不敬厥德，乃早坠厥命”，从侧面强调“敬德”的重要性。其次，把“敬德”和“天命”紧密结合在一起，指出只有“敬德”才能够“祈天永命”，进一步说明“敬德”的重要。再次，指出“敬德”的内容：要求君主具备如天子一般的品德，为天下臣民起到表率的作用；让小民安，则可以让上天高兴，以“受天永命”。简单地说，这种思想便是“敬天保民”的思想。所谓的“敬德”实际上就是“敬天保民”，不过，这个思想是以“保民”为基础的。“无小人莫养君子”，统治者知道若是没有“小人”辛辛苦苦地创造物质财富，“君子”就不能够生存下去；因此，以周、召两人为代表的周朝统治者所强调的就是“保民”。假如“小民淫用非彝”则“亦敢殄戮”，就是说，若小民存在非分之想，要有毫不犹豫将其杀掉的勇气。由此可见，“保民”还包括另一方面，亦即刑治一面，而这种思想是周人一以贯之的。

最后，将“仇民”和“友民”进行对比，意在说明只有“明德”，才可以让“仇民”和“友民”都能够服从自己的统治，从而使政权得到巩固和加强。

综上所述，整段文字的中心皆在“敬德”二字上。诰辞再三致意，可见周朝初期的统治者对此的重视程度。这种主张在当时对促进发展、缓和矛盾，都起着积极的作用。

## 洛诰

【原文】

周公拜手稽首[①]曰：“朕复子明辟[②]，王如弗敢及天基命定命[③]，予乃胤保大相东土[④]，其基作民明辟[⑤]。

“予惟乙卯，朝至于洛师。我卜河朔黎水[⑥]。我乃卜涧水[⑦]东，瀍水[⑧]西，惟[⑨]洛食。我又卜瀍水东[⑩]，亦惟洛食。伻[⑪]来以图及献卜。”

王拜手稽首曰：“公不敢不敬天之休，来相宅[⑫]，其作周匹休[⑬]。公既定宅，伻来，来视予卜，休，恒吉[⑭]。我二人共贞[⑮]。公其以予万亿年敬天之休。拜手稽首诲言[⑯]。”

【注释】

①拜手稽首：古代男子的跪拜礼。拜手，跪下后两手拱合，俯手至于心平而不至地。稽首，叩头至地，是隆重的跪拜礼。

②复：归还。辟：君主。

③基命定命：曾运乾曰：“基，始；定，正也；基命定命，即举行大典也。”

④胤：继。保：官名，太保，此指召公。相：视察。东土：指洛地，因其在镐京以东，故称东土。

⑤其：祈使副词，犹希望。基：始。明辟：圣明的国王。

⑥河：黄河。朔：北方。黎水：黎阳故城在现在河南浚县东北，离商的首都朝歌很近。

⑦涧水：水名。发源于现在河南渑池东北白石山，至洛阳西南洛水。

⑧瀍（chán）水：水名。

⑨惟：仅。

⑩瀍水东：此处即成周筑地。成周也叫下都。

⑪伻（bēng）：使。

⑫相：勘察。宅：宫室宗庙的筑地。

⑬其：代词，指周公。作：营建。周：指周的旧都宗周。匹：配。休：美。

⑭恒：遍。

⑮共贞：犹言"共同承事"（采曾运乾及杨筠如说）。贞，马融说："贞，当也。"按，"贞"当作"鼎"，"贞""鼎"古通用。

⑯诲言：教诲之言。旧注均解为"教诲"之"诲"。于省吾说："吴大澂谓古诲字从言从每，是也……谋言犹云咨言问言。"亦通。

【译文】

周公行礼之后说："我将君主之位还给你，你却谦逊地不敢举行即位大典。我要继太保召公之后东去视察洛邑，你将必须开始做小民圣明的君主了。

"我在乙卯日这一天早晨抵达洛邑，占卜了黄河以北的黎水。我占卜了涧水以东、瀍水以西，发现仅有洛地是吉兆。我接着占卜了瀍水以东，结果也是只有洛地最吉利。于是请您来将地图与卜兆献给您。"

成王听后也还礼说："您不敢不尊重上天所赐予的信任，来洛邑视察宫室宗庙的基地，建成了洛邑作为与旧都相对的新都，这是一件大好事。您已经勘定了宫室宗庙的基地，又使我来将图样和卜兆让我看，图样和卜兆都很好。"然后，成王恭敬地邀请周公与自己一同主持朝政。

【解读】

在此段中，周公就营洛问题，向成王报告，成王也就营洛问题回答周公。

从上述文字中，我们不难看出，周公要求成王前往洛邑举行祭祀和即位大典，之后主持朝政。言辞非常恳切，希望成王“明作有功，惇大成裕”。与此同时，周公还告诉成王礼制的重要性和治民的方法。其中尤其强调礼制，足见礼制是维护当时社会的一个重要手段。从此段话中，周公将营洛和还政紧密联系在一起，这说明两者之间的关系很是重要。

【原文】

周公曰：“王，肇称殷礼①，祀于新邑，咸秩②无文。予齐百工③，伻从王于周④。予惟曰庶有事⑤。今王即命曰：‘记功，宗以功作元祀⑥。’惟命曰：‘汝受命笃弼⑦，丕视功载⑧，乃汝其悉自教工⑨。’孺子其朋⑩，孺子其朋，其往。无若火始焰焰⑪，厥攸灼叙弗其绝厥若⑫。彝及抚事⑬如予，惟以在周工⑭往新邑，伻向即有僚⑮，明⑯作有功，惇大成裕⑰，汝永有辞⑱。”

公曰：“已⑲！汝惟冲子⑳惟终。汝其敬识百辟享㉑，亦识其有不享。享多仪，仪不及物，惟㉒曰不享。惟不役志㉓于享。凡民惟㉔曰不享，惟事其爽侮㉕。乃惟孺子颁㉖，朕不暇听㉗。

“朕教汝于棐㉘民彝，汝乃是不蘉㉙，乃时惟不永㉚哉。笃叙乃正父㉛，罔不若予，不敢废乃命。汝往敬哉！兹予其明农哉㉜。彼裕㉝我民，无远用戾㉞。”

【注释】

①肇：始。称：举行。殷礼：接见诸侯的礼节。

②咸：皆。秩：秩序。

③齐：整。百工：百官。

④伻从王于周：此句为倒装，意指在旧都习礼后再跟从王去洛。伻，使。周，此指旧都。

⑤惟：表祈使、希望之意。庶：众。事：指上文“祀于新邑”的事情。

⑥宗：宗人，官名，行使礼仪的官。功：有功的人。作：举行。元祀：大祀。元，大。

⑦笃：厚。弼：辅助。

⑧丕：奉。视：披阅。载：载书。

⑨其：命令副词。悉：尽。教工：教百官习礼仪。

⑩孺子：小孩，此处指成王。其：祈使副词，希望。朋：古“凤”字。相传凤飞时，群鸟从以万计，此处比喻带领群臣。

⑪若：像。焰：火苗。

⑫厥：其。攸：所。灼：烧。叙：曾运乾说：“叙，读‘余’，……灼余，犹言烬余也。”绝：断绝。厥若：犹言那个。

⑬彝：语助词。及：劳碌的样子。抚事：处理政务。

⑭惟：表希望的副词。以：及。工：官。

⑮伻：使。即：就。有：通“友”。僚：官员。

⑯明：通“孟”，勉。

⑰惇：厚。裕：宽。

⑱辞：言辞，此处可引申为称道。

⑲已：叹词。

⑳冲子：幼子。

㉑其：表希冀的副词。辟：诸侯国的国君。享：诸侯国的国君见天子时的礼节。

㉒惟：恐是衍文。

㉓役：用。志：心意。

㉔惟：只。

㉕事：王事。爽：差错。侮：轻慢。

㉖颁：分。孙星衍说：“言政事繁多，孺子分其任，我有所不遑也。”

㉗暇：空闲。听：指听政。

㉘棐：辅助。

㉙彝：指方法。蘉（máng）：勉力。

㉚时：通“是”。不永：指统治地位不能长保。

㉛笃：厚。叙：顺。乃：代词，犹言你的。正父：天子谓同姓诸侯、诸侯谓同姓大夫，皆曰父。

㉜兹予其明农哉：大意是说，辞去官职勉力务农。兹，这。明，勉力。

㉝裕：宽容。

㉞戾：至。

【译文】

周公说：“王啊！你在新都祭祀文王，接见诸侯的礼节是有规定的，不能紊乱。我整齐地带着百官，让他们都可以熟练仪礼之后，再跟从大王前往新邑。我希望你能够和百官一同举行祭祀文王的大事。现在大王却说：‘记下功劳，让宗人选拔那些有功的人举行大祀就可以了。’又命令说：‘你受先王的命令，尽力辅助国家，既已奉命查阅记功的文献，那么你尽力教导百官熟习仪礼就可以了。’年轻的君主啊，带领百官一起来吧，带领百官一起来吧，一起到新都来。不要像刚刚开始燃烧的火苗那样气势微弱，不要让那火焰烧成灰烬，不要让那火焰断绝。希望你像我一样辛勤地处理政事，率领周国百官到新都去，使百官勤勉地建立功勋，淳厚博大，成就宽裕的统治，你就可以永久地为后世所称道了。”

周公又说：“唉！虽然你还很年轻，但是也要考虑今后的事情。你要仔细察看诸侯的贡享，也要记下那些没有贡享的诸侯。贡享应该以礼仪为重，如果礼仪不周，那么即便贡享很多，也如同没有一样。如果人们不注重礼仪，就会轻慢你的号令，将使政事错乱。希望你这年轻人赶快前来分担政务，我已经没有时间摄理如此多的政务了。

“以上教给你的这些方法，如果不努力去做的话，就无法让国家长治久安。厚待各邦君长以及同姓的诸侯和大夫，让他们像我一样，以您的命令作为最高准则。而且，你若能够宽以待民，那么小民均会归附于你。”

【解读】

周公依照自身的经历总结治国之道，并将其传授给成王，希望成王可以谨记此道，使周国再创辉煌。

无规矩不成方圆，正所谓“国有国法，家有家规”，若君主下达的命令无人服从，那么天下必然大乱。可是，若要众人服从，就必须宽以待人，以德服人，实行德政，如此才可以让天下之人诚心归顺。

【原文】

王若曰：“公，明保予冲子[1]。公称丕显德[2]，以予小子扬文武烈[3]，奉答[4]天命，和恒[5]四方民，居师[6]，惇宗将礼[7]，称秩元祀[8]，咸秩无文。惟公德明光[9]于上下，勤施于四方，旁作穆穆[10]，迓衡不迷[11]，文武勤教。予冲子夙夜毖[12]祀。”王曰：“公功棐迪笃[13]，罔不若时[14]。”

王曰：“公，予小子其退，即辟于周[15]，命公后[16]。四方迪乱[17]未定，于宗礼亦未克敉[18]，公功[19]，迪将[20]其后，监我士师工[21]，诞保文武[22]受民，乱为四辅[23]。”王曰：“公定[24]，予往已[25]。公功肃将祗欢[26]，公无困哉[27]。我惟无斁[28]其康事，公勿替刑[29]，四方其世享。”

周公拜手稽首曰：“王命予来承保乃文祖[30]受命民，越乃光烈考武王弘[31]朕恭。孺子来相宅，其大惇典殷献民[32]，乱为四方新辟[33]，作周恭先[34]。曰其自时中乂[35]，万邦咸休，惟王有成绩。予旦以多子越御事笃前人成烈[36]，答其师[37]，作周孚[38]先。考朕昭子刑[39]，乃单[40]文祖德。

“伻来毖殷[41]，乃命宁予以秬鬯二卣[42]，曰明禋，拜手稽

尚书

首休享[43]。予不敢宿[44]，则禋于文王武王。惠笃叙[45]，无有遘自疾[46]，万年厌[47]于乃德，殷乃引考[48]。王伻殷[49]，乃承叙[50]万年，其永观朕子[51]怀德。”

【注释】

①明：勉力。冲子：幼子。成王对自己的谦称，成王是周公的侄子，故谦称“幼冲”。

②称：称说。丕：大。显：显赫。德：功德。

③以：以为。扬：发扬光大。烈：事业。

④奉：遵奉。答：配。

⑤和恒：倒装，应为“恒和”。和，指政事治理得很好。恒，普遍。

⑥师：京师，此处指洛。

⑦惇：厚。宗：同族。将礼：倒装，言以礼接待诸侯。将，事。

⑧称：举。秩：次序。元祀：大祀，指祭祀文王事。

⑨光：广大。

⑩旁：广泛，普遍。穆：美，此处用以形容政治治理得极好。

⑪迓：本作“讶”，“讶”通“御”，掌握。衡：权柄。

⑫毖：谨慎。

⑬“公功”句：亦倒装结构。笃，厚，是“棐迪”的状语。棐，辅助。迪，教导。

⑭罔：否定副词，犹今语没有。若：顺。时：通“是”，指示代词，指上文教导的话。

⑮即：就。辟：君位。周：指周的旧都。

⑯后：留后，意即留守新邑。

⑰四方：指天下。迪：导。乱：治。

⑱宗：宗人，主持行使礼仪的官。礼：指仪礼。克敉：近义词叠用。克，成功。敉，通“弭”，引申为成功。

⑲公功：犹言公的任务，总指“迪乱未定”“宗礼未克”诸事。

⑳迪：导。将：主。

㉑监：临，居上视下曰临，此处可引申为统率。士、师、工：均指负责一定政务的官员。

㉒诞：大。保：安。文武：指文王和武王。

㉓乱：率领。四辅：在王的左右辅佐理政的大臣。

㉔定：止，留下。

㉕往：指返旧都。已：通“矣”，语助词。

㉖功：指任务。肃：通“速”，迅速。将：主持政事。祗：敬。欢：通“劝”，勉。此句是倒装句，“祗”和“欢”跟“肃”一样，都是修饰“将”的。

㉗困：固留。哉：当为“我”，形近致误。

㉘惟：只。斁：厌，可引申为懈怠。

㉙替：废弃。刑：常，指常任的政务。

㉚来：指初至洛地营建新邑。乃：代词，你们。文祖：指文王。

㉛越：和。光：光大。烈：威严。此处用以形容武王。弘：大。

㉜惇典：犹言镇守。献民：即民献，众民。

㉝乱：率。辟：君。

㉞恭：恭谨。先：先导。

㉟曰：述说前时之言。时：通“是”。乂：治。

㊱以：介词，与。多子：指众卿。子，对男子的美称。越：和。御：治。笃：厚。烈：功业。

㊲答：合，此处可引申为满足。师：众。

㊳孚：信。

㊴考：成。朕：我。昭子：指成王。刑：常，法。

㊵单：大。

㊶伻（bēng）：使，让。毖：慰劳。殷：指殷民。

㊷宁：安。秬：黑黍，可以酿酒的粮食。鬯（chàng）：古时祭祀所用香酒，用秬制成。卣（yǒu）：古时酒器，其形状和樽相似。

㊸休：美。享：享献。

㊹宿：停留。

㊺惠：仁。笃：厚。叙：顺。三字均有厚待之意。

㊻遘：遇。

㊼万年：指永久。厌：饱。

㊽殷：盛。引考：长寿。以上四句是周公为自己祝福的话。

㊾殷：指殷民。

㊿承叙：承顺。

(51)子：指众民。

【译文】

王说："公啊！您尽心尽力辅佐我这个年幼无知的人。您讲述前人的大德，让我将文王与武王的美德发扬光大，以能遵奉上天的命令，治理好四方的小民，并驻于洛邑，厚待宗族，礼遇诸侯，按照礼数祭祀文王，虽然礼节烦琐，但无不井井有条。您的大恩大德可与日月相比，光辉更是照耀天地，在您的治理下，普天之下都治理得十分美好，操纵平治天下的大权而不产生差错，后又将文王与武王的事迹告诉我，希望可以对我加以引导。我是一个年幼无知的人，只有一早一晚勤谨地进行祭祀了。"王说："公啊！您热情地教导我治理小民的道理，这些教训都是我应该接受的。"

王说："公啊！我小子就要回去了，在旧都行即位改元之礼，请您依然留守新都。如今四方的统治还没有治理好，宗人的礼仪也没有完成，您还不能隐退，您还要主持以后的事情，辅助我统率百官，努力治理好文王、武王从上天那里接受的臣民，做我的辅弼之臣。"王说："公啊，您留下吧！我要回去了。您的任务是快速而认真地主持政事。您不要老是挽留我啊！现在的我还有很多政务的本领需要向您学习，而您也只有不废弃您应当主持的政务，四方百姓才会受福不尽。"

周公行礼以后说："王命令我承担治理你祖父文王从上

天那里接受的保护臣民的任务，以及光大你父亲的遗训大法。你来洛邑视察宫室宗庙的基地，镇守殷人，为四方的新君谨慎地处理政务，做后代国君的先导。我曾说，如果可以在洛邑治理天下，诸侯国就能够治理好了，如此，王的大功就算告成了。我姬旦跟众卿大夫和掌握政事的百官，巩固王的政权，满足百姓的愿望，努力成为我周人的诚实的先导。我成就了你的法制，你光大了文王的大德。

“你派遣使者前来慰劳殷民，又送来两樽黍酒，告诉我行礼祭祀和献享，我不敢有片刻停留，立刻祭祀文王与武王。你如此厚待我，并非我遇到什么疾病，不能遵从你的意旨，是我不敢承受这样的大福啊！我只有极力延长寿命，永久地享受你的德泽。王使殷民永久服从我们的统治，永远如我们的百姓一样心怀大德不敢叛逆。”

【解读】

这一部分主要写成王对于周公的回答，在回答中，成王首先高度赞扬了周公的恩德，言辞恳切。然后，要求周公留在洛邑继续执政。为何会提出这样的要求呢？因为在成王眼中，当时正是“四方迪乱未定，于宗礼亦未克敉”之时，政局动荡不安。成王意识到在这样的情况下，以自身的能力主持政局，是难以胜任的，所以才会十分恳切地要求周公：“公无困哉。”成王的这个要求，不单纯是为了对周公表示谦恭和信赖，也是当时情势所迫。

## 无逸

【原文】

周公曰：“呜呼！君子所其无逸[1]。先知稼穑之艰难，乃逸[2]则知小人之依。相小人[3]，厥父母勤劳稼穑[4]，厥子乃不知稼穑之艰难乃逸。乃谚既诞[5]，否则侮厥父母[6]，曰：'昔之人无闻知。'"

周公曰："呜呼！我闻曰：昔在殷王中宗[7]，严恭寅[8]畏，天命自度[9]，治民祗惧[10]，不敢荒宁[11]，肆[12]中宗之享国七十有五年。其在高宗[13]，时[14]旧劳于外，爰暨[15]小人。作[16]其即位，乃或亮阴[17]，三年不言，其惟不言，言乃雍[18]。不敢荒宁，嘉靖[19]殷邦。至于小大[20]，无时[21]或怨。肆高宗之享国五十有九年。其在祖甲，不义惟王[22]，旧[23]为小人。作其即位，爰知小人之依，能保惠[24]于庶民，不敢侮鳏寡[25]。肆祖甲之享国三十有三年。自时厥后立王[26]，生则逸！生则逸！不知稼穑之艰难，不闻小人之劳，惟耽乐[27]之从。自时厥后，亦罔或克[28]寿，或十年，或七八年，或五六年，或四三年。"

周公曰："呜呼！厥亦惟我周太王、王季[29]，克自抑畏[30]。文王卑服[31]即康功田功[32]。徽柔[33]懿恭，怀保[34]小民，惠鲜[35]鳏寡。自朝至于日中昃[36]，不遑[37]暇食，用咸和[38]万民。文王不敢盘于游田[39]，以庶邦惟正之供[40]。文王受命惟中身[41]，厥享国五十年。"

周公曰："呜呼！继自今嗣王[42]，则其无淫于观、于逸、于游、于田[43]，以万民惟正之供。无皇[44]曰：'今日耽乐。'乃非民攸训[45]，非天攸若[46]，时人丕则有愆[47]。无若殷王受[48]之迷乱，酗[49]于酒德哉。"

【注释】

①君子：指做官的人。所其：指居其位。所，处在。逸：安逸。

②乃逸：旧注多从上读，非是，应从下读。乃，指示代词，这样。

③相：看。小人：小民。

④厥：代词，作"他"解。稼穑：泛指农业劳动。

⑤谚：粗鲁。诞：放肆。或解作“大”，亦通。

⑥否则：乃至于。否，当作“丕”。

⑦中宗：太戊，是商汤的玄孙和太庚的儿子。

⑧严：通“俨”，严肃庄重。恭、寅：均谓恭敬。“恭”指表现在外貌，“寅”指存在于内心。

⑨天命自度（duó）：谓以天命自度。度，量，衡量。

⑩祇惧：敬慎小心。

⑪荒宁：怠惰，荒废。

⑫肆：因此。

⑬高宗：即武丁，在殷代发展史上起到重要作用的著名君王。

⑭时：通“是”，犹言这个人，指高宗。相传高宗为太子时，其父小乙曾命令他出外行役。

⑮爰：于是。暨：及，和。

⑯作：及，等到。

⑰亮阴：作“梁暗”，“楣谓之梁，暗谓庐也”。

⑱雍：和谐。

⑲嘉靖：安定。嘉，善。靖，治、安。

⑳小大：小，指小民。大，指大臣。

㉑时：通“是”。

㉒“其在”二句：马融说：“祖甲有兄祖庚而祖甲贤，武丁欲立之，祖甲以王废长立少，不义，逃亡民间，故曰‘不义惟王’。”祖甲，武丁的儿子帝甲。

㉓旧：久。

㉔保：保佑。惠：好处，利益，这里指给人好处。

㉕鳏：年老无妻的人。寡：年老无夫的人。

㉖自：从。时：通“是”，这。立王：立的王。

㉗耽乐：沉溺在享乐之中。

㉘罔：没有。克：能够。

㉙太王：文王的祖父。王季：古公亶父的儿子，文王的父亲，名季历。

㉚抑畏：谦虚小心。

㉛卑：贱。服：从事。

㉜即：完成。康功：孙星衍以为“康功”指建造房屋。田功：指田野里的劳动。

㉝徽：善良。柔：仁慈。

㉞怀保：爱护。

㉟惠鲜：爱护。惠，爱。鲜，善。

㊱朝：早晨。日中：中午。昃（zè）：太阳偏西。

㊲不遑：没有工夫。遑，闲暇。

㊳用：以。咸和：和谐。

㊴盘：耽。田：通“畋”，打猎。

㊵正：正税，指正常的贡赋。供：献。

㊶受命：接受上帝的大命，指即位为君。惟：语中助词，无实义。中身：中年。

㊷嗣王：指成王。

㊸淫：过度的。观：游览。逸：安逸享受。游：游玩。田：田猎。

㊹皇：汉石经作“兄”，兄，即况，且。

㊺攸：所。训：典式，榜样。

㊻若：顺。

㊼时：通“是”，这。丕则：那就。愆：过错。

㊽殷王受：即殷纣王。

㊾酗：发酒疯。

【译文】

周公说：“唉！君子做官不应该贪图安逸。先了解种田的艰苦，如此，处在安逸环境中的人就懂得种田人的艰辛了。看看种田的人，他们的父母辛勤地劳作着，他们的儿子却不知道种田的艰辛，必然安逸享受起来了。不仅如此，他的行为还会十分放肆，甚至会轻侮他的父母说：‘年纪大的人，无知无识什么也不懂。’”

周公说：“唉！我听说：过去殷王中宗，严肃谨慎，用上天的标准要求自己，每天怀着慎重的心情治理百姓，从不懈怠，从不敢贪图享乐，因此中宗在位七十五年。到了高宗时，年幼的他就在外行役，和百姓一起劳作。等到他做了君王，不谈国事三年。正因为如此，在偶尔谈及国事的时候，都能够得到众人的拥护。他不敢荒废政事、贪图安逸，所以殷国被他治理得很好，从小民到大臣，无人发怨言。因此，高宗执政达五十九年。到了祖甲，他认为代兄为王是不符合情理的，所以他在年轻的时候逃往民间，做过小民。等到他登位之后，就能够了解小民的疾苦而施惠于小民，也不轻慢或歧视那些孤苦伶仃的人。因此，祖甲执政达三十三年。从此之后的国王，生来就只懂得享乐！生来只懂得享乐！他们不了解种庄稼的艰难，不了解种田人的劳苦，只是陶醉在自己安逸的生活中，每日以饮酒取乐。所以，从此之后的君王执政时间都不长，有的十年，有的七八年，有的五六年，有的三四年。”

周公说：“唉！只有我们周的太王、王季做事的时候谨慎小心。文王也曾经做过卑贱的劳作，比如整修道路、耕种田地等。他心地仁慈，态度和蔼恭谨，在他的治理下，百姓安居乐业。那时的他从早晨到中午到下午，忙碌到无暇吃饭，用这种辛勤劳苦的精神治理国家。文王不敢把各邦国上交的赋税用于游猎玩乐。文王在中年的时候接受了上天赐予的大命，执政长达五十年之久。”

周公说：“唉！今天的王啊，希望你不要将万民进献的赋税，浪费在游乐上。且不要这样说：‘今天先享受享受再说。’如此一来，你就不会成为百姓的榜样，就不会顺从天意，这样的人就犯错了。所以，千万不要像纣王那样把迷乱酗酒作为美德啊！”

【解读】

第一段，周公对成王提出要求：“在位君子，不应该贪图安逸和享受。”旨在告诉成王要做到“无逸”，具体怎么做呢？周公认为首先要了解“稼穑之艰难”，这样就可以了解百姓的疾苦，如此，做到“无逸”也就不难了。

第二、三段，总结历史教训，论证“无逸”的重要性。

第二段总结殷的教训，列举中宗、高宗、祖甲三个正面的典型，这也是全文的重点。然后列举殷后期君王作为反面典型。在谈到这些王时，诰辞感慨地说：“生则逸！生则逸！”从此之后的君主，生来便贪图享乐，享受安逸的生活，他们不知道种庄稼的辛苦，不了解种田人的艰辛。从这以后的君主执政时间就很短了。这种鲜明的对比，充分说明“无逸”的重要。

第三段写文王的“无逸”。文王也曾经做过卑贱的劳作，如整修道路、耕种田地等。他在位时处理政事从早晨到中午到下午，忙碌到无暇吃饭，用这种辛勤劳苦的精神治理国家，让天下百姓的生活十分舒适。诰辞中的论述充分说明文王也同商的先王一样圣明。蔡沈曾分析说：“言则古昔，必称商王者，时之近也；必称文王者，王之亲也。举三宗者，继世之君也；详文王者，耳目之所逮也。”诰辞赞扬三宗和文王就是为了给成王树立学习的榜样。

第四段对成王提出明确的要求与希望。这一段是前两段的发展和归宿，也是重点内容。文中着重要求成王以殷后期的王为戒，虽然在文字中并没有提到以三宗和文王为法，但这种深意是隐藏在文字之间的。

【原文】

周公曰："呜呼！我闻曰：'古之人犹胥[1]训告，胥保惠，胥教诲，民无或胥诪张为幻[2]。'此厥[3]不听，人乃训[4]之，乃变乱先王之正刑[5]，至于小大。民否[6]则厥心违怨，否则厥口诅祝[7]。"

周公曰："呜呼！自殷王中宗及高宗及祖甲，及我周文王，兹四人迪哲[8]。厥或告之曰：'小人怨汝詈汝！'则皇自[9]敬德。厥愆[10]，曰：'朕之愆，允若时[11]。'不啻[12]不敢含怒。此厥不听，人乃或诪张为幻。曰：'小人怨汝詈汝！'则信之。则若时[13]，不永念厥辟[14]，不宽绰[15]厥心，乱罚无罪，杀无辜，怨有同，是从[16]于厥身。"

【注释】

①犹：还。胥：互相。

②诪（zhōu）张：欺诳。幻：欺诈，惑乱。

③此：这，指下述那些劝诫的话。厥：其，你。

④训：典式，榜样，此处谓以为榜样。

⑤正：通"政"，指政治。刑：法律。

⑥否：三体石经作"不"，联系上文当指无所适从。一说，"否"与"则"是合成词，与"丕则"同义，作"乃至于"解，恐非是。

⑦诅祝：诅咒。祝，通"咒"，音义同。传："作、祝，诅也。"

⑧迪哲：通达明智。

⑨皇自：更加。

⑩厥：其，指上文四人。愆：过错。

⑪允：信。时：通"是"，这。

⑫不啻：不但。句下有省略，省略部分当如译文。

⑬则：就。若：像。时：通"是"，这。

⑭辟：法度。

⑮宽绰：宽宏大度。

⑯丛：积聚。

【译文】

周公说："唉！我听说，古时的人们还相互扶持、相互训告，小民没有互相欺骗诈惑的。如果不听这些话，不这样做的话，人们之间就会相互欺骗，大小群臣之间就会乱了法制。小民无所适从，心中就会产生怨恨之情，口中也会发出诅咒的语言。"

周公说："唉！从殷王中宗，到高宗，到祖甲，到我们的周文王，这四人是圣明的君主。有人告诉他们：'小人在怨你骂你！'他们就会越发恭敬地按照规定做事。他们犯了错，就会毫不掩饰地说：'这件事我做错了。'实在是这样，他们不仅不动怒，而且非常愿意听到这样的话，以便察知自己政治上的得失。不喜欢听这些话，人们之间就会产生欺诈。如果有人告诉你：'小人在怨你骂你！'你应该认真思考这些话。可是，如果你不将法度放在心上，没有宽阔的胸怀，胡乱惩治无罪的人，妄杀无辜的人，则臣民必会心生怨念，人们就会将心中的愤怒聚集在你的身上。"

【解读】

这部分主要是周公论述如何正确对待小人的怨詈。这部分也可分作三层：第一层分析怨詈产生的原因。周公提出的观点是，"古之人犹胥训告，胥保惠，胥教诲，民无或胥诪张为幻。此厥不听，人乃训之，乃变乱先王之正刑，至于小大。民否则厥心违怨，否则厥口诅祝"，意思就是，如果君臣相互劝诫、规正，"小人"就不会产生怨詈；否则，如果互相欺诈，群臣就会变更法制，"小人"就会产生怨詈。这就是说，怨詈虽出于"小人"之口，但根源不在"小人"而在"君臣"。因此，第二层写三宗和文王听到怨詈时的反应与应对之策。周公说，当这四位君主听到“怨詈”时，他们就会更加恭敬地按照规矩办事，认为是自己的错误，不认为是小人的过错，以致“不敢含怒”。第三层写相反的态度，这类人只要听到“怨詈”的话，就会“乱罚无罪，杀无辜”。如此，必然会民心同怨，日积月累，人们便会把愤怒的情绪聚集在君主身上。这两者形成鲜明的对比，意在说明前一种是应该倡导和发扬的，后一种则应该引以为戒。

毫无疑问，周公对成王的告诫，其真正的目的在于巩固周王朝的江山社稷，但告诫中提到君主要了解种庄稼的艰难与百姓的疾苦，这种观点是以前统治者所不曾有的，这不得不说是历史上的一个大进步。再者本文中心突出，条理分明，层次清楚，而且字里行间充满感情，在《尚书》中，当推杰作，亦成为散文创作发展的重要标志。

## 君奭

【原文】

周公若曰：“君奭[①]，弗吊[②]，天降丧于殷，殷既坠厥命。我有周既受，我不敢知曰厥基永孚于休[③]。若天棐忱[④]，我亦不敢知曰其终出于不祥[⑤]。呜呼！君已曰时我[⑥]。我亦不敢宁于上帝命，弗永远念天威。越我民罔尤违[⑦]，惟人。在我后嗣子孙，大弗克恭上下[⑧]，遏佚前人光[⑨]在家，不知天命不易。天难谌[⑩]，乃其坠命，弗克经历，嗣前人恭明德[⑪]。在今予小子旦非克有正[⑫]，迪惟前人光，施于我冲子。

“又曰：‘天不可信，我道惟宁王德延，天不庸释[13]于文王受命。’”

【注释】

①君：尊称。奭（shì）：人名，即召公奭。

②弗吊：不善。弗，不。吊，善。

③厥：指示代词，这个。基：基业。孚：符。休：美。

④若：语首助词，无义。棐：辅助。忱：诚。

⑤祥：长久。孙星衍说：“‘祥’与‘荣’俱以‘羊’为声。‘祥’亦‘永’也。《盘庚》：‘丕乃察降不祥。’熹平石经：‘不永。’”

⑥君：指召公奭。已：表示过去的时态副词。时我：意思是我能担当起治国的重任。时，通“是”。

⑦罔：无。尤违：怨恨。

⑧上下：上指天，下指地。

⑨遏：绝。佚：弃。光：光荣的传统。

⑩谌（chén）：诚，信。

⑪“乃其坠命”三句：此处倒装，应作“弗克经历，嗣前人恭明德，乃其坠命”。历，久。

⑫正：表率。

⑬庸：用。释：弃。

【译文】

周公说：“君奭！因为做了很多不好的事情，上天就降祸于殷朝，殷朝由此丧失了上天赐予的大命。我们周国用德政赢得了大命，但我不敢说，我们的事业可以永远朝着美好发展下去。如果上天能辅助我们，我还是不敢说结局是否会有什么不祥。唉！虽然你曾经说我可以承担起治理国家的重担，但是我不敢安于天命，以防受到上天的惩罚。虽然现在我们的民众不会产生怨念，但是，一切都在人为啊！只担心我们的后代会做出伤害天理的事情，从而失掉前人的光荣传统。天命是难以相信的，如果不能永远继承前人的光荣传统，就会失掉上天赐予的大命。现在我姬旦不能做别人的表率，只能把前人的光荣传统传给我们的后代。

“（周公）又说：‘上天是不可以相信的，我们所能做的就是努力发扬文王的光荣传统，使之长久地保持下去，这样上天便不会舍弃文王所受的大命了。’”

【解读】

正所谓“创业容易，守业难”。在这段文字中，周公首先谈殷的灭亡，在殷商灭亡的教训中，周公意识到“永孚于休”，是否“终出于不祥”，对于建国之初的周朝来说都是未知数，可见“守业”是一件非常艰难的事情。接着周公便分析了天和人这两个方面的条件。对于天，周公虽然明确表示要“念天威”，但也一再强调“天难谌”，“并非周公所说”；对于人，周公则认为“我民罔尤违，惟人”，他认为人民之所以不会产生怨恨情绪，是因为现在国家施行的是德政。这就是说，周公把着眼点从“天”转移到“人”，强调不依靠天命而依靠人为。周公的这种认识，不得不说是一个大的发展。当然，这里对于天、人的分析，也正是为了说明守业的艰难。

【原文】

公曰：“君奭，我闻在昔成汤既受命，时则有若伊尹①，格于皇天②。在太甲时，则有若保衡③。在太戊时，则有若伊陟、臣扈④，格于上帝。巫咸乂⑤王家。在祖乙时，则有若巫贤，在武丁时，则有若甘盘。率惟兹⑥有陈保乂有殷，故殷礼陟配天⑦，多历年所。天惟纯佑命则⑧，商实百姓王人，罔不秉德明恤⑨。小臣屏侯甸⑩，矧咸奔走⑪。惟兹惟德称，用乂厥辟⑫。故一人有事⑬于四方，若⑭卜筮，罔不是孚⑮。”

公曰："君奭，天寿平格[16]，保乂有殷，有殷嗣天灭威。今汝永念，则有固命[17]，厥乱[18]明我新造邦。"

公曰："君奭！在昔上帝割申劝宁王[19]之德，其集大命于厥躬[20]？惟文王尚克修和我有夏[21]。亦惟有若虢叔，有若闳夭，有若散宜生，有若泰颠，有若南宫括[22]。"又曰："无能往来，兹迪彝[23]教，文王蔑德降于国人。亦惟纯佑秉德[24]，迪知天威，乃惟时昭文王迪见冒[25]，闻于上帝，惟时受有殷命。哉武王[26]，惟兹四人尚迪有禄。后暨武王诞将天威，咸刘厥[27]敌。惟兹四人昭武王惟冒，丕单[28]称德。今在予小子旦若游大川，予往暨汝奭其济。小子同未[29]在位，诞无我责？收罔勖[30]不及，耇造德不降[31]，我则鸣鸟[32]不闻，矧曰其有能格[33]！"

公曰："呜呼！君，肆其监于兹[34]，我受命无疆惟休[35]，亦大惟艰。告君乃猷裕[36]，我不以后人迷。"

公曰："前人敷[37]乃心，乃悉[38]命汝，作汝民极[39]。曰：汝明勖偶[40]王，在亶[41]，乘[42]兹大命，惟文王德丕承，无疆之恤[43]。"

【注释】

①伊尹：商汤的大臣。

②格于皇天：谓汤的功劳可以和天相比，可以和天一样享受人们的祭祀。孙星衍说："格者，《释诂》云：'升也。'谓汤得伊尹辅助成功，升配于天也。"下文"格于上帝"与此同。

③保衡：官名。在王左右辅理政事的人，旧注多以为就是伊尹。

④伊陟、臣扈：均人名。

⑤巫咸：人名。殷的大臣。乂：治理。

⑥率：大抵。兹：这。

⑦陟：升。配天：和上天享受同样的祭祀。

⑧纯：大。佑：帮助。则：准则。

⑨秉：持。明：勉。恤：谨慎。

⑩小臣：内臣。屏：列。侯甸：古制去王城五百里为甸服，去王城千里为侯服。侯、甸，均指周的地方官。

⑪矧：况且。咸：都。奔走：效劳。

⑫乂：治。厥：代词，犹言他们。辟：国王。

⑬一人：指国王。事：事情，指国王的号召。

⑭若：好像。

⑮是：指示代词，这，指国王的号召。孚：信，符。

⑯寿：久。格：指格人，能了解天命的人。

⑰固：牢固。命：上天的命令。

⑱厥：发语词。乱：治。

⑲割：通“曷”，相当于现代汉语“为什么”。申：重，一再。劝：劝勉。宁王：文王。

⑳集：成就。躬：自身。

㉑夏：古人称中国曰夏。

㉒虢（guó）叔、闳夭、散宜生、泰颠、南宫括：文王和武王时的大臣。

㉓兹：曾运乾说：“兹，读为‘孜’，勉也。”迪：开导。彝：常。

㉔纯：大。佑：帮助。秉：持。德：德行。

㉕时：通“是”。昭：助。见：通“现”，显示。冒：勉励。

㉖哉武王：在武王时期。哉，在。

㉗咸：皆。刘：杀。厥：代词，其。

㉘丕：大。单：通“殚”，尽。

㉙同：通“侗”（tóng），幼稚无知。未：通“昧”，暗昧，谓不明事理。

㉚勖（xù）：勉励。

㉛耇：年老的人。降：曾运乾说：“降，和同也。”谓和睦团结。

㉜鸣鸟：凤凰的鸣声，古人迷信，以凤鸣为吉祥的征兆。

㉝矧：况。格：格知，了解。

㉞肆：现在。监：视。兹：指示代词，这，指下文“受命无疆惟休”“亦大惟艰”。

㉟无疆：无限。休：美。

㊱猷裕：曾运乾说：“猷裕，双声联词，犹宽绰也。”

㊲前人：指武王。敷：暴露剖白。

㊳悉：详。

㊴极：中，准则。

㊵明勖：黾勉，努力。偶：合，这里指合力辅助成王。

㊶亶（dǎn）：诚。

㊷乘：担当。

㊸恤：忧虑。

【译文】

周公说：“君奭！我听说过去成汤在接受上天的大命之后，就得到了伊尹的辅佐，也正是因为有伊尹的辅佐，成汤才得以升配于天。在太甲统治时期，有个保衡，太戊统治时期又有伊陟和臣扈辅佐他，让他们得以升配于上天。巫咸帮助殷王治理国家。祖乙时有个巫贤，武丁时有个甘盘。正是因为有了这些贤能之士帮助治理殷国，殷国历代君主才得以享受配天的祭祀，殷国的统治才可以历经百年而不衰败。而上天所帮助的都是有道德的人，商朝的百姓、同族均按照一定原则努力谨慎地为殷王服务；至于那些大小官员和侯服、甸服的诸侯们也都竭力奔走效劳。正是因为群臣各称其德，以辅助他们的国王治理国家。所以一旦国王向四方发出什么号召，就好像相信卜筮的灵验一样，对国王的号召，四方的人没有不相信的。”

周公说：“奭啊！长期以来，上天都在让那些深知天命的人安治殷国，而殷国后期的继承人却无视上天的威严，因而招致灭亡。现在，你一定要记住这个历史教训，只要我们尽心辅佐君主，就一定可以固守先祖霸业。”

周公说：“奭啊！在过去，为何上天一定要劝勉文王注意品德修养，将治理天下的重大任务交到他的肩上呢？这是因为只有文王这样有道德的人，才可以将国家治理好。同时，也因为文王有虢叔、闳夭、散宜生、泰颠、南宫括这些贤臣。”又说：“倘若没有这些贤臣在他的身边奔走效劳，努力宣扬德教，那么文王的美德就不能够传播给国人。也正因为上天大力地帮助道德高尚的人，开导他们，让他们深知上天的威严，勉励他们使他们的功绩昭著，上天了解了他们的行为，才让他们接受殷国的大命。在武王的时候，这四个人依然保持着他们的禄位。后来武王奉上天的命令大举征伐殷国，他们又都辅佐武王奋勇杀敌。就是因为这四个人竭尽全力辅佐武王，武王才得以成就霸业。现在我姬旦好像要涉渡大河，我和你先去涉渡。我知识不广却身居大位，你不督责、纠正我，就没有人勉力指出我的不足了。年高有德的人不指示治国的法则，连凤凰的鸣叫声都听不到了，何况说能被上天嘉许呢？”

周公说：“啊！君奭啊，你应该看到这一点，我们从上天那里接受大命，虽然是无限美好的，但想要遵循大命，治理好天下也是很艰难的。希望你有宽阔的胸怀，知道我不是为了后代子孙而迷恋禄位啊！”

周公说：“武王曾经说过他的心里话，他曾详细地谈过要你做小民的表率。他说：你们应该尽心尽力在王的左右帮助王，担当大命要坦诚，且必须把能否继承文王的光荣传统当作长久的考虑。”

【解读】

自古以来，每一位圣明君主背后都会有一个或多个贤能的大臣辅佐，若没有这些臣子，仅凭君主一人，必定难以成就千秋伟业，由此可见大臣的重要性。周公正是深知这一点，才会对召公说出这番话，意在告诉召公：身为臣子，要尽心竭力辅佐君主，帮助君主成就一番伟大的事业，如此才不负自己，不负君主，不负人民。

周公的这段分析分为两部分：第一部分，以殷为例说明臣子的重要性。第二部分，周公又以殷映射周，正是因为有虢叔、闳夭、散宜生、泰颠、南宫括等大臣辅佐，文王和武王才得以成就大业。

这部分虽然篇幅较短，但是其历史研究价值颇高，可以说是《君奭》全篇的重点所在，字字句句都说明了大臣对于国家、君主和百姓的重要性。

【原文】

公曰："君，告①汝，朕允保奭②。其汝克敬以予③，监于殷丧大否④，肆⑤念我天威。予不允，惟若兹诰？予惟曰：'襄⑥我二人，汝有合⑦哉。'言曰：'在时二人，天休滋至，惟时二人弗戡⑧。'其汝克敬德，明我俊民⑨，在让后人于丕时⑩。呜呼！笃棐时⑪二人，我式克至于今日休⑫，我咸成文王功于不怠，丕冒⑬海隅出日，罔不率俾⑭。"

公曰："君，予不惠若兹⑮多诰，予惟用闵于天越⑯民。"

公曰："呜呼！君，惟乃知，民德亦罔不能厥初⑰，惟其终⑱。祗若兹⑲，往敬用治。"

【注释】

①告：请求。

②朕：我。允：信。保：官名。即太保。奭：召公名。

③其：表祈使，故译作"希望"。克：能够。予：我。

④否（pǐ）：天地不交、万物不通为否，意即遭逢祸害。

⑤肆：长。

⑥襄：除掉。

⑦合：合德，指品德相合的人。

⑧戡（kān）：胜任。

⑨明：作动词用，谓尊重选用。俊民：有特殊才干的人。

⑩丕时：继承。《尚书正读》："丕时犹丕承也。"

⑪笃：厚。棐：辅助。时：通"是"。

⑫式：用。克：能够。休：美好。

⑬丕冒：意指在天的覆盖之下。丕，大。冒，覆。

⑭率俾：倒装句，使服从。率，顺从，服从。俾，使。

⑮惠：通"慧"，聪明。兹：这。

⑯闵：忧虑。越：和。

⑰罔：不。初：事情的开始。

⑱惟：只。终：指事情的结尾。这一句大意是说，能善始不能善终。

⑲祇：敬。兹：这。

【译文】

周公说："君奭！请求你，我所信任的太保奭。希望你能恭敬地和我一道看到殷国的灭亡，长久顾及着上天的威力。我若不是怀着一片赤诚，怎么能说出这些话呢？我想问你：'除了我们二人，还有谁是和你的品德相称的呢？'你定会说：'就是因为有了我们两个人，上天才会降下这样多美好的事情，可是，这样的事情越来越多，我们二人是承受不了的。'希望你可以选用有德的人，让后人很好地继承前人的传统。啊！正是因为我二人性情笃厚，合力辅佐国王，才让我们的国家如此美好，才让我们完成成就文王的大功而不懈弛，才使四海之内，只要是太阳照射到的地方，无不服从法度。"

周公说："君奭，我是一个很笨拙的人，我之所以说这么多话，就是想要保持天命与民心。"

周公说："唉！君奭，你知道，小民开始办事时，没有不好好办的，但是到结尾的时候往往就不尽心了。我们应该重视这个教训，之后也必以恭谨的态度来治理国家。"

【解读】

在这一部分，周公进一步强调了召公和他的重要作用，意在说明只有他们二人和衷共济，才能把国家治理好。

自古以来，朝代的更替均是适应历史潮流的进步之举，而一个朝代的灭亡，往往伴随着末代君主麻木不仁、听信谗言等现象，殷商亦躲不过这种命运。殷商的灭亡正是君主的无德、无能所致，因此，周公才提倡尊敬并选用有德的人，使后人很好地继承前人的光荣传统。只要做到选贤任能，善待臣民，恭敬地治理国家，臣民就必然会心存感激之情，更加尽心尽力辅佐国王，让国家更加繁荣昌盛，让百姓能够安居乐业，如此也算不辜负先王的恩赐了。

## 蔡仲之命

【原文】

惟周公位冢宰[①]，正百工[②]，群叔流言[③]。乃致辟[④]管叔于商；囚蔡叔于郭邻[⑤]，以车七乘[⑥]；降霍叔于庶人，三年不齿[⑦]。蔡仲克庸祗[⑧]德，周公以为卿士[⑨]。叔卒，乃命诸王邦之蔡[⑩]。

王若曰："小子胡[⑪]，惟尔率[⑫]德改行，克慎厥猷[⑬]，肆[⑰]予命尔侯于东土。往即[⑮]乃封，敬哉！尔尚盖前人之愆[⑯]，惟[⑰]忠惟孝；尔乃迈迹自身，克勤无怠，以垂宪[⑱]乃后；率乃祖文王之彝训[⑲]，无若尔考之违王命。

“皇天无亲，惟德是辅；民心无常，惟惠[20]之怀。为善不同，同归于治；为恶不同，同归于乱。尔其戒哉！慎厥初，惟厥终，终以不困；不惟厥终，终以困穷。懋乃攸绩[21]，睦乃四邻，以蕃[22]王室，以和兄弟，康济[23]小民。率自中[24]，无作聪明乱旧章[25]；详乃视听，罔以侧言改厥度[26]。则予一人汝嘉[27]。”王曰：“呜呼！小子胡，汝往哉！无弃荒[28]朕命！”

【注释】

①冢宰：大宰，总理百官之长，因称冢宰。冢，大。

②正：统率，治理。百工：百官。

③群叔：指下文管叔、蔡叔、霍叔而言。叔，统指兄弟。

④致辟：杀。

⑤蔡叔：名度，周公之弟。郭邻：地名。

⑥以车七乘：《史记·管蔡世家》：“放蔡叔，迁之，与车十乘，徒七十人从。”

⑦“降霍叔”二句：《孔传》：“罪轻，故退为众人。三年之后乃齿录，封为霍侯，子孙为晋所灭。”

⑧蔡仲：蔡叔之子，字仲。克：能。庸：经常，常常。祗：敬。

⑨卿士：王朝或诸侯国的执政官。

⑩蔡：原为蔡叔度的封国，其地在今河南上蔡。因蔡叔度参与叛乱，平叛后蔡叔度被判处流放而国除。其子蔡仲，能改其父之过，且“克庸祗德”，并经过考察，遂复封于蔡，其地在今河南新蔡。

⑪胡：蔡仲之名。

⑫率：遵循。

⑬猷：道。

⑭肆：因此。

⑮即：就任。

⑯尚：还能。盖：遮盖，引申为改变。愆：过错。

⑰惟：思。

⑱垂宪：指垂范。宪，榜样。

⑲率：遵照。彝训：长辈对后辈教导的语言。

⑳惠：仁慈，仁爱。

㉑懋：勤勉，努力。攸：所。绩：事功。

㉒蕃：通“藩”，屏障，引申为捍卫。

㉓康济：使安居乐业。

㉔率：遵循。中：中正之道。

㉕作聪明：自作聪明，轻率逞能。旧章：指先王留存的典章制度。

㉖侧言：片面的言论。度：法度。

㉗嘉：嘉奖。

㉘荒弃：废弃。

【译文】

在周公担任大宰统率百官时，他的兄弟散布流言诽谤他。于是周公来到商地杀死了管叔；用七辆车将蔡叔送到边远的郭邻囚禁起来；把霍叔降为庶人，并声明在三年之内对其不予录用。蔡仲因为敬重德行，而被周公任命为卿士。蔡叔死后，周公便让成王把蔡仲封在蔡国。

成王这样说：“年轻的姬胡！因为你恪守文王的美德，努力改变你父亲蔡叔的过错，可以恭敬地遵守为臣之道，所以我任命你为东土诸侯。你前往你的封地就任，切记一切谨慎啊！你不要再犯和你父亲一样的错误，要勤于思考；希望你迈出新的步伐，能够勤劳不懈怠，从而成为你的后代子孙效仿的对象；要遵循你祖父文王的教导，不要如你父亲一样违背王命！

“上天对于犯人并无亲疏之别，只辅助有德的人；人们的心中没有常主，只怀念仁爱的君主。行善的方式虽然有很多种，但都能达到安邦的效果；做恶事的手段虽然各不相同，但都会让国家混乱。你要警戒啊！做事情时，不仅要谨慎对待事情的开始，也要考虑清楚它的结局，这样最终才不会困窘；如果不考虑清楚它的结局，最终一定会陷入困苦的境地。努力做你所要做的事情，与你的四邻和睦相处，来保卫周王室，并使同姓兄弟国家之间亲密和谐，从而使百姓安居乐业。要遵循正道，不要自作聪明扰乱先王的成法；要审慎你的视听，不要因片面之言改变正常的法度。这样我就会嘉奖你！”王说：“唉！年轻的姬胡啊。你去吧！不要废弃我的教导！”

【解读】

根据《孔传》中的记载：“蔡叔既没，王命蔡仲，践诸侯位，作《蔡仲之命》。”

本篇最开始的一段是史官所写，和《史记》记载的基本无出入。在这些记载中，我们可以充分了解到此段文字的写作背景。“王若曰”以下的文字即为命辞的正文，其主要分为两段：第一段讲述的是封姬胡为蔡侯的命令，同时指出封侯的原因在于姬胡能够“率德改行，克慎厥猷”，并就此提出了三点希望：第一，“尔尚盖前人之愆，惟忠惟孝”；第二，“尔乃迈迹自身，克勤无怠，以垂宪乃后”；第三，“率乃祖文王之彝训，无若尔考之违王命”。第二段，向姬胡提出要求：首先，要知道“德”和“惠”的重要性。因为只有具备了“德”，才可以得到上天的照顾；只有“惠”于民，才可以受到民众的爱戴。其次，要慎始慎终地“为善”而不“为恶”。所谓“善”即“睦乃四邻”“以蕃王室”“以和兄弟”“康济小民”。再次，要始终遵循“中”道。所谓“中”道，就是指“无作聪明乱旧章”“详乃视听，罔以侧言改厥度”。最后，希望姬胡可以做到“无荒弃朕命”！以上这些希望与要求是在考虑当时情况之后提出来的，不仅具有很强的针对性，对后世也是影响深远。

## 多方

【原文】

惟五月丁亥，王来自奄[1]，至于宗周[2]。

周公曰："王若曰：猷！告尔四国多方惟尔殷侯尹民[3]，我惟大降尔命，尔罔不知。

"洪惟图[4]天之命，弗永寅念于祀[5]。惟帝降格[6]于夏，有夏诞厥逸[7]，不肯戚言[8]于民，乃大淫昏，不克终日劝于帝之迪[9]，乃尔攸闻。

"厥图帝之命，不克开于民之丽[10]，乃大降罚，崇乱有夏，因甲[11]于内乱，不克灵承于旅[12]，罔丕惟进之恭[13]，洪舒[14]于民。亦惟有夏之民叨懫日钦[15]，劓[16]割夏邑。天惟时求民主，乃大降显休[17]命于成汤，刑殄[18]有夏。

"惟天不畀纯[19]，乃惟以尔多方之义民[20]，不克永于多享惟夏之恭[21]，多士大不克明保享于民[22]，乃胥[23]惟虐于民；至于百为[24]，大不克开[25]。

"乃惟成汤克以尔多方简[26]，代夏作民主。慎厥丽[27]，乃劝[28]。厥民刑，用劝。以至于帝乙，罔不明德慎罚，亦克用劝。要囚[29]，殄戮多罪[30]，亦克用劝。开释无辜[31]，亦克用劝。今至于尔辟[32]，弗克以尔多方享[33]天之命。呜呼[34]！"

【注释】

①奄：古国名。在今山东曲阜以东。

②宗周：指西周都城镐京，在今陕西西安西南。

③四国：指管、蔡、商、奄。这四国屡次发动叛变，故放在句子的开始以示警告。多方：犹四方，指各地诸侯。惟：与，和。殷侯：指中夏诸侯。孙星衍说："《释言》云：'殷，中也。'……言汝中夏诸侯……"尹民：治理臣民的官长。尹，正。

④洪惟：即代惟，谓代替成王发布命令，是周公代替成王发布命令时常用的发端词。图：度。

⑤寅：敬。祀：祭祀。

⑥格：格人，深通天命的人，此处指主持占卜的官员或贤能超众的人。

⑦诞：大。厥：其。逸：安逸，享受。

⑧戚言：指安慰之类的好话。戚，忧。

⑨克：能够。劝：劝勉。帝之迪：指上帝开导的话。古人认为这类事大都由格人传达。迪，开导。

⑩开：开释，解除。丽：通"罹"，遭逢。

⑪甲：通"狎"，习常。

⑫灵承于旅：意即能很好地承担上天所赐的大命。灵，善。旅，祭上帝之尸。"不克灵承于旅"的大意是说，不按照上帝的意旨行事。

⑬罔：无。丕：不。惟：只。进：财。"罔丕惟进之恭"的大意是无不竭力搜刮民财。

⑭洪：大。舒：通"荼"，毒害。

⑮民：指统治阶层。叨：贪婪。懫：忿。钦：崇尚。

⑯劓：割鼻的刑罚。

⑰显：光。休：美。

⑱刑殄：谓给予灭亡的惩罚。刑，谓惩罚。殄，灭绝，灭亡。

⑲不畀纯：意即不给大福。省略中心词。畀，给予。纯，大。

⑳义民：即贤民，指夏的统治集团中行为较好的官长。

㉑"不克"句：这句话的意思是说，由于那些坏人为非作歹，好人们也受到牵连，不能永远保持夏朝给予的禄位。恭，通"供"，指所供之职位。

㉒“多士”句：意思是说，臣子们不努力为百姓造福。明，勤勉。保，安。

㉓胥：通“与”，相与，皆。

㉔百为：意即无所不为。百，言其多。

㉕大不克开：意言不能把人们从痛苦中解脱出来。开，开释，解脱。这一段话是倒装，开始两句说的是结果，后面几句说的是原因。顺读之，应为：“多士大不克明保享于民，乃胥惟虐于民，至于百为，大不克开，惟天不畀纯，乃惟以尔多方之义民，不克永于多享惟夏之恭。”

㉖克：能够。尔多方：谓你们四方诸侯。简：择，意即为四方诸侯所选择、所拥戴。

㉗慎厥丽：句子有省略，顺承前后文，这句大意应是：谨慎地把人们从灾难中解脱出来。慎，谨。厥，其，指人民。丽，通“罹”，遭逢。

㉘乃劝：是为了勉励。乃，是，为。劝，勉励。

㉙要囚：细察狱辞。详见《康诰》注。

㉚殄：灭绝。戮：杀。多罪：指多罪的人，省中心词。

㉛开释：开脱。无辜：无罪。辜，罪。

㉜尔：你们。辟：君主，指诸侯。

㉝以：率领。享：承受，意谓由于殷纣作恶多端，使你们受到牵连。

㉞呜呼：叹词，放在句末，表示惋惜。

## 【译文】

五月丁亥日，成王从奄地回来，到达宗周镐京。

周公说：“成王说：告诉你们四方和诸侯国以及你们这些边境地区戍守的官员和百官们，我要向你们传达天命，你们不可以不听。

“夏桀夸大天命，不能长久而恭敬地祭祀。于是，上天就给夏国降下了深知天命的人，夏国却大肆地享受安逸，不愿意慰勉百姓，一天也不能勤勉地按照上天的教导办事，这些你们都是了解的。

“夏桀虽然考虑到上天的命令，却不能够懂得百姓的灾难，并且将他们从灾难之中解救出来，上天于是大大地惩罚了他。这是因为夏桀习惯在国内为非作歹，又不按照上天的旨意行事，只知道残暴地搜刮百姓，荼毒生灵。也因为夏朝统治者的贪婪，残暴横行于夏都。上天就寻找了可以为民做主的君王，于是将大命赐予汤，命令汤灭掉夏国。

“上天没有赐予大福给众位诸侯，这是因为你们这些所谓的夏朝的四方诸侯，虽然心地善良，但是受到牵连，因为夏朝的灭亡而不能长久地保持夏朝的禄位，夏朝的官员只懂得如何残暴地对待百姓，甚至于为非作歹、无恶不作，根本谈不上了解百姓的疾苦。

“由于成汤受到来自四方诸侯的爱戴，代替夏桀做民众的君主。他谨慎地施行刑律，将人们从灾难之中解救出来，鼓励百姓重新振作起来。他对那些犯罪之人使用刑罚，意在鼓励他们走上正道。从成汤到纣的父亲帝乙，无不努力阐明德教，勉励人们走上正道。仔细地考察犯人的狱辞，杀掉或严厉惩罚那些作恶多端的人，也是为了对臣民进行劝勉和警诫。开脱释放那些无罪的人，同样是为了鼓励臣民走上正道。这说明，上天是派遣商汤救赎百姓的。然而，纣王登上王位之后，不能够带领你们四方诸侯永享上天赐予的大命，于是走向了灭亡。实在是可悲啊！”

【解读】

为了让殷朝的遗民归顺周朝，周公为其分析了夏、商兴亡的原因。首先，对于夏朝的分析是：夏朝之所以灭亡，是因为时常不恭敬地对待祭祀，不将祭祀之事放在心上。虽然上天将深知天命之人降给夏，但夏王贪图享乐，不懂得告慰百姓，甚至搜刮民财，荼毒百姓，行为日益淫逸昏乱。可以说，他闭塞了上天的命令，不救百姓于水火，上天于是降下惩罚来祸乱夏国。正是这样上天才派汤灭掉夏国的。

此段分析的文字较多，总体来说，夏的灭亡不外乎两点：一是不敬天，二是残害人民。

紧接着，又分析商，商为何可以“代夏作民主”呢？原因就是：相对夏王的残暴和无所作为来说，商王能够做到“明德慎罚”，鼓励百姓重新振作起来。这说明，上天是派遣商汤救赎百姓的。然而，纣王登上王位之后，不能够带领四方诸侯永享上天赐予的大命，于是殷商也走向了灭亡。

很显然，对于夏着重分析它为何会走向灭亡，对于商则着重分析它为何会兴起，各有侧重。这里的分析和《君奭》《洛诰》《无逸》有所不同，前面是为了总结经验教训，而这里是为了向殷人证明：殷商的灭亡和夏的灭亡一样，周的兴起也和当年殷商的兴起一样，都是理所应当的，任何反抗都是不应当和不允许的。

【原文】

王若曰：“诰告尔多方，非天庸释[1]有夏，非天庸释有殷，乃惟尔辟以[2]尔多方，大淫图[3]天之命，屑有辞[4]。乃惟有夏图厥政，不集于享[5]，天降时丧[6]，有邦间之[7]。乃惟尔商后王逸厥逸[8]，图厥政，不蠲烝[9]，天惟降时丧。惟圣罔念作狂[10]，惟狂克念作圣。天惟五年须暇之子孙[11]，诞作民主[12]，罔可念听[13]。天惟求尔多方，大动以威[14]，开厥顾天[15]。惟尔多方罔堪顾[16]之。惟我周王灵承于旅，克堪用德，惟典[17]神天。天惟式教我用休[18]，简畀[19]殷命，尹[20]尔多方。今我曷敢[21]多诰，我惟大降尔四国民命。尔曷不忱裕之于尔多方[22]？尔曷不夹介乂[23]我周王，享天之命？今尔尚宅尔宅[24]，畋尔田，尔曷不惠王熙[25]天之命？尔乃迪屡不静[26]，尔心未爱[27]。尔乃不大宅[28]天命，尔乃屑播[29]天命。尔乃自作不典[30]，图忱于正[31]。我惟时其教告之，我惟时其战要囚[32]之，至于再至于三。乃有不用我降尔命，我乃其大罚殛之。非我有周秉德不康宁，乃惟尔自速辜[33]。”

【注释】

①庸释：舍弃不用。庸，用。释，舍。

②辟：君主。以：与。

③图：闭塞。

④屑有辞：犹今语振振有词。屑，形容说话时发出的声音。

⑤集：就。享：祭祀。

⑥时丧：这样的大祸。时，通“是”，这。丧，谓大祸。

⑦有邦：此处当指商。邦，国。间：代替。之：指天命。

⑧商后王：此处当指殷纣。逸厥逸：言其行为放纵不遵法度。厥，其，指殷纣。

⑨不蠲（juān）烝：字面的意思是说祭祀不清洁，实际上是指政治十分昏暗，没有美德上闻于天。蠲，清洁。烝，指祭祀。

⑩惟：虽然。圣：通达明白，与下面的“狂”意思相反。念：谓放在心里，此处指把上天的意旨放在心里。狂：愚狂无知。

⑪须：等待。暇：宽暇，意言放宽了时间。子孙：指纣王，纣王于成汤为子孙后代。

⑫诞：语词。民主：臣民的主人，意即国王。

⑬罔：不。念：存念。听：听从。

⑭大动以威：谓以灾异警告。

⑮开：开导。厥：其，指上文多方。顾天：顾念上天的威严。

⑯罔堪：即不堪，不胜任。堪，胜任。顾：顾念。

⑰典：主。

⑱式：用。休：美。

⑲简：通"拣"，拣选。畀（bì）：给予。

⑳尹：治理。

㉑曷敢：岂敢，欲擒故纵之词。

㉒"尔曷不忱裕"句：即尔多方曷不忱裕。忱裕，劝导。

㉓夹介：曾运乾说："犹洽比也，亦双声连辞。"洽比，亲附。乂：治理。

㉔宅尔宅：前一"宅"动词，谓居住；后一"宅"指居住的地方。下一句句法与此同。畋，仍读"田"，动词，治田曰畋。后一"田"作"田地"讲。

㉕惠：顺从。熙：光明，此处当指发扬光大。

㉖迪：作。屡：屡次。不静：指反叛作乱之事。

㉗爱：顺服。

㉘宅：度，考虑。

㉙屑：轻视。播：弃。

㉚典：法。

㉛图：企图。忱：诚信，此处谓取信。正：执政者。

㉜战：意指用战争去征服。要囚：细察犯人供词以便根据罪情的轻重分别给予惩处。

㉝速：召。辜：分裂肢体的酷刑，泛指祸害。

【译文】

王说："告诉你们四方诸侯，并不是上天要舍弃夏国，也不是上天要舍弃殷国，而是由于你们的国王与四方诸侯的行为过于放肆，又违背了上天的命令，至此依然不知悔改，仍旧振振有词地为自己的罪行辩护。因此上天抛弃了你们，由于夏国政治黑暗，又不能很好地祭祀上天，所以上天才会降下大祸，并让殷国代替夏国。也因为你们商后期君王纵情享受，政治黑暗，所以上天才降下这样的大灾给你们。虽然原本是贤明、正直的人，但是若不将上天的旨意放在心上，就可能会变成狂悖而不通事理的人；虽然原本是无知、愚昧的人，但是若将上天的旨意放在心上，就可能会变成圣明的人。上天为了让殷纣悔悟，等待了五年的时间，让他继续做君主，但他不思悔改，依旧不听从上天的教导。上天也以这样的想法来要求你们四方诸侯，并显示了它强大的威严，来开导你们考虑上天的命令。但是，你们四方诸侯完全不考虑，也不能完成任务。只有我们周国的国王，很好地秉承了上天的旨意，广布德教，以德教主持上天所赐予的大命。所以，上天经过一番思量后，决定将殷朝美好的大命转交到我们的手中，让我们根据上天的命令来治理你们四方诸侯。现在的我之所以敢对你们说出这些告诫的话，只是想要用这些话来教育和开导你们的臣民。你们四方诸侯为何不听从我的劝告？你们为何不亲附我们，帮助我周国治理天下，共享天命？现在你们依然居住在原来的土地上，耕种着你们原来的土地，你们为何不顺从我们的国王，发扬光大上天的命令呢？你们不听从劝告，多次发动暴乱，你们的心那么不顺从，你们不去考虑上天的命令，你们完全不将上天的命令放在心上。这是你们自己不遵守法度，反而投机取巧，妄图取信于我们的执政者。所以，我必须认真地教导你们，因为我要用武力来镇压你们，详细考察你们的供词。你们一而再，再而三地发动叛乱，我也会一而再，再而三地讨伐你们。倘若你们不能够遵守我的命令，我就会惩罚你们。这不是我们周国不以德教的原则给你们安定的生活，这着实是你们自己招致的祸端。”

【解读】

本篇是周公代表成王所发布的诰令，其对象主要是殷人，也包括追随殷人发动叛乱的“徐戎”“淮夷”等。

这段文字旨在说明上天对于夏、商的惩罚。首先说明并不是上天要灭亡夏、商，而是因为“大淫图天之命，屑有辞。乃惟有夏图厥政，不集于享，天降时丧，有邦间之”。由此做出了“乃惟尔商后王逸厥逸，图厥政，不蠲烝，天惟降时丧。惟圣罔念作狂，惟狂克念作圣”的感叹。不过，对于殷商，上天格外仁慈，为了争取纣的悔悟又给他五年时间，但是纣王依然我行我素，不知悔改，上天这才不得不毁灭商朝。

以上的说明，旨在强调殷商的灭亡完全是咎由自取。接着又分析了周的兴起，周为什么能够兴起呢？就是因为周朝能够广布德教，以德教主持上天所赐予的大命。所以，上天才会将原本属于商的大命赐予周，让周根据上天的命令来治理四方诸侯。

这些说明和“夏、商两朝的兴亡”中的论述是一样的，均是为了论证周的兴起和商的灭亡的合理性，以说服殷人服从自己的统治。最后说明只有顺从于周才是唯一的出路，否则，就要受到惩罚，而这惩罚也是咎由自取。

【原文】

王曰：“呜呼！猷，告尔有方多士暨殷多士，今尔奔走[①]，臣我监五祀[②]。越惟有胥伯小大多正[③]，尔罔不克臬[④]。自作不和[⑤]，尔惟[⑥]和哉；尔室不睦[⑦]，尔惟和哉。尔邑克明，尔惟克勤乃事[⑧]；尔尚不忌于凶德[⑨]，亦则以穆穆在乃位。克阅于乃邑谋介[⑩]。尔乃自时洛邑，尚永力畋尔田，天惟畀矜尔，我有周惟其大介赉[⑪]尔，迪简[⑫]在王庭；尚尔事[⑬]，有服在大僚[⑭]。”

王曰：“呜呼！多士，尔不克劝忱[⑮]我命，尔亦则惟不克享[⑯]，凡民惟[⑰]曰不享。尔乃惟逸惟颇[⑱]，大远王命，则惟尔多方探天之威，我则致天之罚，离逖尔土。”

王曰："我不惟多诰，我惟祗告尔命。"又曰："时惟尔初[19]，不克敬于和，则无我怨。"

**【注释】**

①奔走：效劳。

②监：侯国称监，此处当指周的宗国。五祀：五年。从周公摄政三年灭奄至成王即位元年，时为五年。

③胥：力役。伯：通"赋"，即赋税。曾运乾说："'伯'当为'赋'，声之误也。"小大：就力役和赋税的数量言。正：正常的标准。

④臬（niè）：法度。

⑤和：和睦。

⑥惟：思。

⑦室：家庭。睦：和睦。

⑧"尔邑克明"二句：这句话也是倒装，"克勤乃事"是原因，"尔邑克明"指效果。尔邑，指尔邑之臣民。明，勉，努力。

⑨忌于凶德：打算做坏事。忌，作"蓍"（jì），谋划。

⑩阅：通"悦"，高兴。介：善。

⑪大介：大。赉：赐予。

⑫迪：进。简：择。

⑬尚：加。事：职务。

⑭服：事。僚：官。

⑮劝：勉。忱：信。

⑯享：享祭。

⑰凡：凡是。惟：语中助词，无义。

⑱逸：安逸。颇：邪。

⑲时惟尔初：谓从头开始把关系搞好。

**【译文】**

王说："唉！告诉你们四方诸侯与殷地的官长，现在的你们臣服我周国并为我周国奔走效劳已经五年了。我们向你们征收田赋、征用力役，不管从数量的大小还是多寡上，都符合正常的标准，正因如此，你们无不遵守法规。如果你们之间不和睦，那么你们应该和睦起来；如果你们的家庭不和睦，那么你们的家庭也应该和睦起来。如果你们能够勤于职守，做臣民的表率，那么，你们邑内的臣民也都会勤勉做事；如果你们没有坏心思，那么，你们就能够和睦而恭敬地在你们的位置上坐下去。这样，你们一邑的人就都能够和睦地在一起。如果你们可以服从我们周国，能够永远种好你们的土地，上天就会怜悯你们，我们周国也会因此大大地赏赐你们，将你们提拔到朝廷上，让你们担任重要职务。”

王说：“唉！诸位官长啊，如果你们不能很好地听从我的命令，那么你们就没有贡享上天的资格，你们的臣民也没有资格。如果你们一味贪图享受，一味胡作非为，大大地远离王命，妄图亲身试探上天的威严，我就要把上天的惩罚赐予你们，将你们赶出你们的土地。”

王说：“我不想再劝你们了，而是将上天的命令告诉你们。”又说：“我们是想着从开头就跟你们和睦相处，如果你们不能遵守上帝的命令，不能和睦相处，我便要把上天的惩罚降给你们，到那时你们可不要怨恨我啊！”

【解读】

在这一部分，周公对殷民提出具体要求，即“越惟有胥伯小大多正，尔罔不克臬。自作不和，尔惟和哉；尔室不睦，尔惟和哉。尔邑克明，尔惟克勤乃事；尔尚不忌于凶德，亦则以穆穆在乃位”，要求殷人和睦相处，永远服从于周朝的统治，要种好田，等等。能够做到这些便给以赏赐，否则便要给以惩罚。

本篇的神权意味非常浓厚，和《君奭》等篇的“天不可信”思想形成了鲜明的对比。研究这种不同，对于研究古代神权的发展以及周人的神权思想，都是很重要的。与此同时，本篇也是研究周初历史的重要史料。由此，我们看出周朝立国之初的矛盾之尖锐，它清楚地说明周初的统治者是在一番激烈的政治斗争之后才慢慢稳固了政权。

## 立政

【原文】

周公若曰："拜手稽首①，告嗣天子王矣。"用咸戒②于王，曰："王左右常伯、常任、准人、缀衣、虎贲③。"

周公曰："呜呼！休兹知恤④，鲜哉！古之人迪惟有夏⑤，乃有室大竞⑥，吁俊⑦，尊上帝迪⑧，知忱恂于九德之行⑨。乃敢告厥后曰，拜手稽首后矣，曰：宅乃事⑩，宅乃牧⑪，宅乃准⑫，兹惟后矣。谋面用丕训德⑬，则乃宅人⑭，兹乃三宅无义民⑮。

"桀德⑯，惟乃弗作往任⑰，是惟暴德，罔后⑱。

"亦越成汤陟⑲，丕釐上帝之耿⑳命。乃用三有宅㉑，克即宅㉒，曰三有俊㉓，克即俊㉔。严惟丕式㉕，克用三宅三俊㉖。其在商邑，用协于厥邑㉗；其在四方，用丕式见㉘德。

"呜呼！其在受㉙德。暋惟羞刑暴德㉚之人，同于厥邦；乃惟庶习逸㉛德之人，同于厥政。帝钦㉜罚之，乃伻我有夏式㉝商受命，奄甸万姓㉞。"

【注释】

①拜手稽（qǐ）首：古代男子的跪拜礼。

②用：因。咸：遍。戒：告诫。

③常伯：官名。管理民事的大臣。常任：治事之官。准人：平法之官。缀衣：掌衣服之官。虎贲（bēn）：武官，王的卫官。

④休：美好。兹：指示代词，这。恤：忧。

⑤迪惟有夏：意言古人道说有夏的故事。迪，道。惟，语中助词。

⑥乃：代词，指夏。有室：指诸侯。竞：争着做。

⑦吁：呼。俊：贤能的人。联系上文，意指诸侯争着选拔贤人。

⑧尊：通“遵”，循。迪：导，教导。

⑨知忱：通过审查了解。知，了解。忱，通“审”，审查。恂：信。行：指行为。

⑩宅：度，考虑。事：此处与下文“牧”“准”相对而言，指政务，意言考虑政务搞得好坏。

⑪牧：管理。

⑫准：准则，法度。

⑬谋面：以貌取人。丕训德：即不依据原则办事。丕，通“不”。训，顺。德，道德。

⑭宅人：曾运乾说：“宅事者，验诸行事而事举；宅人者，和诸亲昵而事替。”

⑮三宅：指上文事、牧、准三个方面。义民：即贤人。民，同“人”。意思是说，如果不按照原则办事而一味任用亲昵的人，就不会得到贤能的人了。

⑯桀：夏桀。德：升，此处指即帝位。

⑰作：起用。往任：指过去老成持重的人。往，旧。

⑱罔后：指国家灭亡。

⑲越：及，到了。陟：升，与上文“桀德”的“德”同，指即帝位。

⑳丕釐（xī）：大福。釐，受福。耿：明。

㉑三有宅：即指上文“三宅”而言，意言从三方面考核官吏。

㉒克：能够。即：就。宅：任职，居官。

㉓俊：杨筠如说：“俊谓诚有其德。”

㉔克即俊：意即任用。俊，进用。

㉕严：严格。丕：大。式：法。此处大法即指“三宅三俊”之法。

㉖克用三宅三俊：谓从此把“三宅三俊”之法，作为选拔人才的定式。

㉗协：协和。厥邑：即商邑。厥，其。

㉘丕式：大法。见（xiàn）：显现。

㉙受：商纣。

㉚暋（mǐn）：强横。羞：进用。刑暴德：意即性情残暴只知用刑。

㉛庶：众多。习：亲近。逸：失。

㉜钦：察，钦罚，意即重重地惩罚。

㉝伻（bēng）：使。有夏：非指夏朝，而是周的旧称。式：曾运乾说：“读为‘代’。”

㉞奄：覆，谓大而有余。甸：治理。万姓：指臣民。万，言其多。

## 【译文】

周公说：“请接受我的礼拜，告诉你——继承大位的天子，如今的你已经正式成为君主了。”因而劝诫成王说：“你的左右大臣有常伯、常任、准人、缀衣和虎贲。”

周公说：“唉，处在美好的环境之中而知忧虑，这样的人，着实是少啊！古人传说，在夏朝时，诸侯竞相招徕贤人，依照上天的旨意行事，经过对他们行为的一番考察，相信他们可以按照一定的道德标准行事，才敢向他们的国王推荐。据说，官员们各司其职，负责政务的可以认真思考政务的处理方式；负责管理的能够认真地考虑臣民是不是可以安居乐业；负责司法的能够认真考虑执法是不是公正合理，因为他们尽心尽力地为国王效忠，所以他们得到了国王的信任。如果不是如此，而是以貌取人，不依照德行而是凭借个人喜好去任用臣子的话，那么贤臣就不会毛遂自荐了。

“但是，夏桀做了国王之后，他不任命老臣，且行为残暴，因此才让国家一步步走向灭亡。

“一直到成汤登上王位，因其以德政治天下，广施恩德，因此得到了上天赐予的大命，得到了大大的福运。于是成汤便从政务、理民、执法三方面考核官吏的成绩，结果证明官吏们都可以勤于职守；又从这三方面选拔人才，结果证明那些获得信用的贤人的确有德才而不是徒具虚名。从此之后，殷商就以这三方面为标准严格选用贤人。正是因为这样，所以那些被选拔上来的官员都能够很好地对待黎民百姓；那些被选在四方供职的也可以按照君主的意思处理大事，从而表现出他们的固有的德行。

“一直到殷纣登基，他的性情粗暴、蛮横，只知滥用私刑，不懂德行，以致举国上下都以他为表率，争相效尤；他只知亲近那些失去道德的人，所以地方政治被他搞得一团糟。上天于是降罪于他，让我们周国替代了商纣的大命。”

【解读】

本段文字是周公为了告诫成王，而向他讲述的关于夏、殷两代在用人和理政方面的不妥之处，以让成王能够以史为鉴。

仔细品读，不难看出，本段文字先从正面总结夏初的贤王以及商代成汤在用人和理政方面的成功经验，之后又从反面总结夏桀和殷纣在这方面的教训，逻辑十分清晰。

夏、殷两代的成功经验是什么呢？本文概括为“任人以贤”。夏代提出了“三宅”。商汤更进一步，不但继承了夏代“三宅”的优良传统，还在此基础上，提出了“三俊”。所谓“三宅”是从考查政绩的角度来讲的，所谓“三俊”是从选拔人才的角度上来讲的。用这样的方式考查政绩、选用人才，就一定可以让官员名副其实而各称其职，从而把政治搞好。这就是周公向成王提供的夏、殷两代的经验。

夏桀“弗作往任”，而纣“暋惟羞刑暴德之人”，所以将政治搞得一团乱，并最终没有逃脱上帝的惩罚，走向灭亡。这里的用意很清楚，就是要求成王以夏桀和殷纣为戒。

【原文】

“亦越文王武王克知三有宅心[1]，灼见三有俊[2]心。以敬事上帝，立民长伯[3]。立政[4]：任人、准夫、牧作三事。虎贲、缀衣、趣马小尹[5]、左右携仆，百司庶府[6]。大都小伯、艺人、表臣百司、太史、尹伯[7]，庶常吉[8]士。司徒、司马、司空，亚旅[9]。夷微卢烝[10]。三亳[11]阪尹。

“文王惟克厥宅心[12]，乃克立兹常事司牧人[13]，以克俊有德。

“文王罔攸兼于庶言[14]。庶狱庶慎[15]，惟有司之牧夫是训用违[16]。庶狱庶慎，文王罔敢知于兹。

“亦越武王率惟敉功[17]，不敢替厥义德[18]，率惟谋从容[19]德，以并受此丕丕基[20]。”

【注释】

①越：及，到了。三有：指前文所说政务（任人）、司法（准人）、管理臣民（牧夫）三方面的事情。宅心：谓通过以上三方面的事情明确而深切地了解其内心。

②灼见：看得清楚。灼，明。俊：进用，选拔。

③长、伯：同义词叠用。

④立政：设立官长。

⑤趣马小尹：负责养马的官。

⑥百、庶：均言其多。司、府：都是官名。

⑦大都：是三公的采邑，小都，是卿大夫的采邑。伯：长。这句话完

整地说当是大都伯、小都伯，文中有省略。艺人：征收赋税的官。表臣：外臣，与朝内对言。百司：指百官。太史、尹伯：均属朝内官员。太史，指史官；尹伯，泛指每官之长，比如太史为史官之长，大司乐为乐官之长。

⑧庶：众。常：祥。吉：善。总括上文所举各官，说他们在位都很吉祥。

⑨亚旅：次于三公的众卿。亚，次。

⑩夷：指东方的少数民族。微：南方的少数民族。卢：西方的少数民族。烝：指国，此处指少数民族的国君。

⑪三亳：汤的旧都。

⑫克：能够。厥：其，指被任用的官长。宅心：意谓考核他们的心地，并看他们的行为是否合乎九德。宅，度。

⑬常事：即上文所说的常任。司：即上文准人。牧人：即上文牧人。“常”当为事、司、牧的总定语。

⑭罔：不。攸：所。兼：兼有，此处谓包办代替。庶言：教令。

⑮庶：众。狱：指狱讼即司法案件。慎：谨慎，联系上文当指慎刑。

⑯“惟有司”句：言处理上述事情都是按有司和牧夫的意见来办。之，与，和。训，顺。违，违背。

⑰率惟：语助词，无义。敉（mǐ）：完成。功：指文王之功。

⑱替：废弃。厥：其，指文王。义德：意谓传统与法度。

⑲谋：通“敏”，勉力从事。容：宽。

⑳并受：言君臣同受。丕丕：伟大。基：基业。

【译文】

（周公这样说道：）“一直到文王和武王即位之后，他们都知道从政务、理民、执法三方面来考察并了解官员的内心，对他们的心地了若指掌。任用他们做臣民的长官，以恭敬地按照上帝的意旨行事。他们设置了以下官职：任人、准人、牧夫，主要负责的是政务、法律、管理臣民这三方面的事情。此外，还设立了保卫国君的卫官，为国王管理衣服的官、养马的官，以及国王的左右携仆和其他官员。三公封地的官长、卿大夫封地的负责征收赋税的官长和朝外百官，以及朝内的太史、尹伯诸官，以上官员都能够做到各司其职，各尽其责，将君主交代下来的事情处理得非常好。随后，司徒、司马、司空、亚旅等官也都一一设置起来。东夷、西戎、南蛮等少数民族，都一一为他们设立国王。就连那些安置殷人的旧地和东城皋、南轩辕、西降谷等地，也都设立官长以便统辖。

“因为文王对于考察官员的心地十分重视，所以就可以正确地任用贤人管理政务、法律、管理臣民等方面的事情，将那些有德之人招为自己所用。

“文王从不代替他的官员发布任何诰令。对于处理监狱、管理臣民的事情，都是准夫和牧夫依自己的意见而决定去取，文王从不加以干预。

“到了武王，他将文王的功业继续发扬光大，从未有过废弃文王所立下的选拔人才的法度的想法，而是努力奉行文王宽容的大德，所以文王、武王才能一同完成伐商建周的伟大基业。”

【解读】

这部分同样是周公对成王的诰辞。孔安国说：“周公既致政成王，恐其怠忽，故以君臣立政为戒也。”司马迁说：“成王在丰，天下已安……作《立政》，以便百姓。百姓说。”这些说法与本文的内容基本符合，这就是说本文是在周公还政成王之后创作完成的。

成王执政之后，国家的政治格局逐渐趋于稳定，摆在面前的问题即用人和理政。本文就是为解决这个问题而写的。

经过此番陈述，周公主要总结了文王用人和理政的经验。文王的用人、理政，在夏、殷两代的基础之上，又有了进一步的发展。他根据前人的经验提出了“三有宅心”和“三有俊心”，在挑选和任用官员时，将考察官员的心地放在第一重要的位置。其次，对臣属，特别是在司法方面，不做过多的干预。实际上，周公总结这些经验的用意十分清楚，就是希望成王能够继承先人的优良传统，继续坚守文王创立的法度。

【原文】

“呜呼！孺子①王矣，继自今我其立政。立事、准人、牧夫。我其克灼知厥若②，丕乃俾乱③，相我受民，和我庶狱庶慎。时则勿有间④之，自一话一言。我则末惟成德之彦⑤，以乂我受民。

“呜呼！予旦已受人之徽言⑥，咸告⑦孺子王矣！继自今文子文孙，其勿误于庶狱庶慎⑧，惟正是乂⑨之。

“自古商人，亦越我周文王立政，立事、牧夫、准人。则克宅⑩之，克由绎⑪之，兹乃⑫俾乂。国则罔有立政，用憸人⑬，不训于德，是罔显在厥世。继自今立政，其勿以憸人，其惟吉士，用劢相⑭我国家。

“今文子文孙，孺子王矣。其勿误于庶狱，惟有司之牧夫。其克诘尔戎兵⑮，以陟禹之迹⑯，方行⑰天下，至于海表，罔有不服。以觐文王之耿⑱光，以扬武王之大烈。

“呜呼！继自今后王立政，其惟克用常人⑲。”

周公若曰：“太史、司寇苏公⑳，式敬尔由㉑狱，以长我王国。兹式有㉒慎，以列用中㉓罚。”

【注释】

①孺子：长辈对年幼的晚辈的称呼，此处指成王。

②灼：明。厥若：代词，指上文立事、准人、牧夫。

③俾：使。乱：治。

④时：通“是”。勿：不。间：代替。

⑤末：终，此处当译为“始终”。成德：指具备九德。彦：有才有德的人。

⑥徽言：美言。

⑦咸告：全都告诉。

⑧误：自误，意指自作主张包办代替而产生的错误。庶狱庶慎：谓对众多狱事要慎重。

⑨惟：只。正：官长。乂：治。

⑩宅：考察。

⑪由绎：曾运乾认为是双声词，犹言筹著审慎，大意是反复考虑，十分慎重。

⑫兹乃：这样。

⑬憸（xiān）人：贪利之人。

⑭劢（mài）：勉力。相：帮助。

⑮诘：责问。戎兵：军队方面的事。

⑯陟禹之迹：意言循禹之迹。陟，升。

⑰方行：遍行。方，旁。

⑱觐：见。耿：光明。

⑲常人：吉士贤人。

⑳司寇：官名。负责司法事务，即上文“准人”。苏公：即苏忿生。

㉑式：用。由：杨筠如说：“‘由’读为‘修’，《广雅》‘修，治也’。”

㉒兹：这。式：法式，榜样。有：通“又”。

㉓列：布。中：符合，适当。

【译文】

“啊，孺子现在已经亲政称王了！从今之后，我们要设立官员了。设立主持日常事务的官员、司法官员、处理民政事务的官员。我们要清楚地知道这些官员身上的长处，然后才可以让他们去管理政务。让他们治理上天授予的臣民，调解司法事务，以及那些慎用刑罚的案件。这些具体的事情让他们去处理就可以了，君主不需要干预，哪怕是只言片语也没有必要说出口。这样的话，我们最后就可以得到一些能够让我们成就美德的德才兼备的人，让他们去治理我们的臣民。

“啊，我姬旦已经将自己所听到的善言都告诉君主了，从今之后，文王的子孙，你们不要在那些刑狱和司法事务以及慎用刑罚这方面犯错误，这些事务只需要让相关部门的官长去处理就可以了。

“从古代殷商的君主到现在我们的周文王设立官员，设立处理日常事务的官员、管理民政事务的官员、管理司法事务的官员，都能够认真挑选，能够任用他们并且让其尽情地施展才华，然后让他们去治理国家。因此，国家设立官员使用奸佞之人的，不遵循正确的德行，这样的君主永远不会成就大事业。从今往后，即位的君主设立官员，千万不要任用奸佞小人，一定要任用贤明之人，用他们来为国家和百姓造福。

“现在文王的子孙，年轻的王啊，千万不要耽误在具体的各种刑狱之中，只让主管部门和牧夫去处理就可以了。您要处理好军事，追随大禹的足迹，遍行天下，让天下都服从于您。以此来显示文王的光辉，从而发扬武王的伟大事业。

“从现在开始，即位的君主设立官员，一定要只任用贤人啊。”

周公说：“太史，苏公能够谨慎地处理司法事务，让周王朝可以长治久安。一定要效仿苏公，更加谨慎地处理刑狱之事，按照法律，适当地施行处罚。”

【解读】

宋人董鼎说:“一篇之中,宅事牧准其纲领也,休兹知恤其血脉也。”其实,“宅事牧准”“休兹知恤”都不过是手段,目的在于维护自身统治,但“休兹知恤”这种宽大政策对于缓和社会矛盾、稳定社会局势、促进社会发展,是起了积极作用的。正是这样,虽然本段文字写的是周公对成王的要求与希望,但是这些要求也无外乎以下几点:

第一,希望成王在选拔官员时,先了解其心地。“我其克灼知厥若,丕乃俾乱,相我受民,和我庶狱庶慎。时则勿有间之,自一话一言”就明确表达了周公的这种思想。

第二,希望成王不要干预各个主管部门的意见,尤其对于司法方面的事情,更要小心谨慎。

第三,在考虑这些官长的人选时,首先考虑他们的功德,其次又审慎地考察他们的心地,确定他们是贤能之人,才可以任用他们。因为,如果一个国家不是这样设立官长,而是任用贪利的小人,不按照规定办事,如此他的德行就不能在社会推行了。

第四,要多问问军队方面的事情,扩充自己的军队,使你的威力遍于天下,甚至伸张到海外,使普天之下无不臣服。从而,使天下人都能看到文王的光辉,并发扬光大武王的伟大业绩。

以上,就是周公对成王所提出的希望与要求。为了避免与殷人矛盾的加剧以及社会矛盾的激化,周公认为必须实行宽大政治,因此一而再,再而三地告诫成王不仅不要不适当地干预司法方面的事情,还应要求司法官员谨慎用刑。从当时的历史情况看,这种做法对于时局的稳定的确起到了举足轻重的作用。第二点显然是为了强化当时的专政机构，在殷人数次叛变的情况下，周朝初期的统治者深刻认识到加强军队是巩固自身统治的重要条件之一，所以，周公严肃且郑重地向成王提出这一点。